QUE SAIS-JE ?

Les violences scolaires

JEAN-LOUIS LORRAIN

Sénateur du Haut-Rhin

Quatrième édition refondue

12e m'

Merci à Isabelle Schwob pour son dévouement et sa contribution.

« Lorsque les pères s'habituent à laisser faire les enfants, lorsque les fils ne tiennent plus compte de leurs paroles, lorsque les maîtres tremblent devant leurs élèves et préfèrent les flatter, lorsque finalement les jeunes méprisent les Lois parce qu'ils ne reconnaissent plus, au-dessus d'eux, l'autorité de rien et de personne, alors c'est là, en toute beauté et en toute jeunesse, le début de la tyrannie. »

Platon, 400 ans avant J.-C.

ISBN 2 13 053926 2

Dépôt légal — 1re édition : 1999

Réimpression de la 4e édition : 2004, août
© Presses Universitaires de France, 1999
6, avenue Reille, 75014 Paris

INTRODUCTION

I. – Fatalité et impuissance

Les devoirs du politique pourraient être d'expliquer notre époque à nos concitoyens, tracer des axes pour l'avenir, créer des repères, expliquer et traduire les événements en contournant les modes, les synthèses d'experts, en luttant contre les idées reçues et faciles ; être visionnaire, sans être provocateur, être modèle sans avoir la prétention de la vérité ; permettre une identification au service du progrès d'autrui ; identifier les problèmes futurs en fournissant des armes pour mieux les combattre ; participer par la volonté, l'imagination, la créativité, à la lutte contre les fléaux de notre temps.

Les violences scolaires font l'objet de maints rapports, expertises, observations, sans doute utiles. C'est à nous de donner du sens à notre action, à notre politique éducative. Le fatalisme est un préjugé humain très ancien : *moires* des Grecs, *fatum* des Latins, *mektoub* des Musulmans, le cours des événements, des violences, est inéluctable ; tous les efforts de la volonté ou de l'intelligence sont vains. Le fatalisme conduit à l' « argument paresseux » selon Leibnitz, l'avenir est fatal, ce qui doit arriver arrivera. Cette conception porte, non sur les décisions, mais sur leur mise à exécution (A. Cuvillier). Le fatalisme face aux violences doit reculer devant la progression des sciences sociales qui sont souvent victimes du dogmatisme de chapelles expertes. La science trouve les causes et le hasard devient calculs statistiques. Elle est loin de tout expliquer et nous permet de nous inscrire politiquement dans une perspective d'espérance et de liberté.

L'impuissance se définit plus par opposition à la puissance et est reconnue et déclarée par les médias et nos concitoyens. On cite la puissance publique et ses insuffisances : sécurité, justice ; la puissance paternelle, en déplorant sa disparition ; la puissance de l'opinion mais la faiblesse des médias ; l'impuissance des politiques est de bon ton. La violence de l'élève renvoie à l'impuissance d'être, d'accéder à une réalité. Nous ne pouvons accepter que les puissances du moi (L. Lavelle), de connaître, de sentir, de se faire, de spiritualiser, soient écrasées. Chacun d'entre nous : adulte, parent, élève, enseignant, attend de l'éducation des espoirs et des solutions à des problèmes de société, dont celui des violences scolaires.

Les politiques doivent rappeler les fondements de la connaissance et les valeurs nécessaires pour vivre ensemble. Le débat a une valeur pédagogique pour nos concitoyens et les initiatives à succès et les conditions de réalisation doivent être connues. L'impuissance est liée au scepticisme face aux capacités de l'institution et renforce l'immobilisme.

Il existe des axes pour l'action :

– le transfert des responsabilités au niveau régional, le développement du sens de la responsabilité des individus, le partenariat avec les collectivités pour développer l'innovation, la prise en compte des problèmes culturels et linguistiques des minorités ;

– l'autonomie plus grande du chef d'établissement, le développement du projet d'établissement, une meilleure définition du rôle des acteurs formés à la négociation et à la concertation.

Le renforcement de l'éducation dans son rôle majeur en faveur de notre société n'est plus un aveu d'impuissance. Le politique doit s'exprimer fortement face aux symptômes de violence : « Les systèmes éducatifs ont pour mission de former les individus à la citoyenneté, d'assurer la transmission entre les générations des connaissances et de la culture, de développer les aptitudes personnelles. Ils ont aussi pour mission de procurer les qualifications dont les économies auront besoin dans le futur » (Serge Peano).

L'élève est au centre de la problématique : il a dans son sac son patrimoine génétique, des acquis culturels, plus ou moins élaborés, un environnement physique, affectif très variable, une famille qui peut avoir de multiples aspects. En entrant dans un établissement, il passe le seuil d'un sanctuaire mais il y a rupture. La confrontation à la règle, aux normes, génère une violence car elle s'oppose au désir et au plaisir. L'émergence du plaisir immédiat a été longtemps brimée par des règles brutales, moralisatrices, voire religieuses, génératrices d'une cohésion. Face à la punition, on retiendra l'identité de vue, entre la famille et l'instituteur. L'objectif de l'éducation est-il donc de contrôler ce besoin immédiat qui s'effectue par l'appropriation de moyens acquis par la violence (racket, trafic) ?

II. – Enseignement des valeurs

Le discours politique peut-il s'emparer de ce sujet, sans subir les foudres de tout expert, de tout communicateur ? À utiliser à dose homéopathique, il doit subir une sélection afin de ne pas faillir à la laïcité. La dilution élimine l'affrontement entre le bien et le mal. Le manque de repères dès le plus jeune âge de la scolarisation et d'acquis élémentaires (propreté, politesse, etc.) en sont des conséquences. Les valeurs républicaines semblent être de retour ; tout un chacun prône l'éducation civique. L'instruction civique est faite néanmoins régulièrement. Nos concitoyens doivent se reconnaître sur des valeurs communes sans lesquelles le processus d'exclusion, de rejet réciproque donc de violence se développe.

III. – Le respect

C'est le dénominateur commun. Le jeune même violent, crie son droit au respect. Surprenant comportement, alors qu'il développe incivilités et violences verbales. Nous avons observé la satisfaction d'un principal de collège qui avait pu obtenir que les élèves saluent les adultes et réciproquement. Kant définit le respect comme l'unique sentiment moral, le devoir érigé en loi de la raison. Le respect s'étend aux personnes comme individus capables de se déterminer d'après cette loi. Est-ce choquant de soupçonner que nos jeunes souhaitent une morale kantienne : celle du respect de la personne humaine ? Le respect n'élimine pas la sanction. Celle-ci confère à la règle son caractère sacré ; elle est revendiquée par l'agressé ou par l'autorité mais elle ne doit pas dégrader. Pour H. Taine, ce qui maintient une société politique, c'est le respect de ses membres les uns pour les autres. La violence peut être combattue par le respect de soi ; porter atteinte à soi-même (suicide), développer une toxicomanie, être atteint d'une maladie addictive (boulimie, anorexie) sont des situations de plus en plus fréquentes chez l'adolescent. Les troubles du comportement – dont les composants ne sont pas que médicaux – s'ajoutent aux difficultés sociales trop classiquement évoquées (chômage, famille monoparentale...) A. Finkielkraut clame que, « présenté avec emphase comme l'alternative à la haine, le respect de l'autre est le visage affable de la muflerie... ». Il n'apporte rien au débat. Le verbe peut susciter la haine, il peut aussi marquer le respect. Nous pourrions lire et faire lire Dostoïevski : « Il n'y a pas que par le respect de soi-même qu'on force le respect des autres » (*Humiliés et offensés,* 1861).

IV. – Le devoir d'apporter du sens

Fatalité et impuissance, face aux violences, sont à mettre en parallèle avec la désespérance face à la mort. La peur et la souffrance sont omniprésentes. La mission éducative ne se substitue pas à la transmission du savoir ; elle agit en synergie. Est-ce choquant de faire appel à la capacité morale de l'individu dès le plus jeune âge, à une éducation à la remise en cause intérieure ? L'éducation à la liberté ne passe-t-elle pas par le respect de l'identité culturelle, en fournissant des armes contre les idéologies opposées aux vraies valeurs républicaines. La responsabilité morale et politique des intellectuels est engagée.

Pour F. Bayrou, la question du sens, c'est le retour du politique ; le droit au sens, à l'espérance, s'oppose au fatalisme et à l'impuissance. La violence est un esclavage pour les victimes et les auteurs. À l'éducation nationale s'impose aussi le devoir de donner du sens ; c'est aussi sa grandeur, de l'accepter.

V. – **Plans et propositions : le piège**

Il est essentiel de demander à un travail des conclusions. Doivent-elles être définitives, péremptoires ? À la question assassine : « Que proposez-vous ? », la réponse : « un nouveau plan » est stérile. Il est intéressant de développer le débat, d'apporter des apaisements, par des mesures de protection des biens et des personnes. Tout plan est limité s'il s'agit de créer des postes qui seront toujours insuffisants, mais bienvenus néanmoins pour les bénéficiaires. Avant toute annonce, on peut imaginer les réactions : clientélisme et saupoudrage – ou mieux : approches sibylline, scientifique, expérimentale avec évaluations... L'impuissance du politique à changer les choses, le besoin de se complaire en commissions, l'incompétence à régler des demandes bien réelles puisque présentes au quotidien sont des lieux communs, des refuges faciles. Les violences dans les quartiers, les agressions dans les bus scolaires, les intrusions dans l'établissement confortent des jugements définitifs : tout ne peut qu'aller plus mal.

Le développement des nouvelles technologies permet de créer un environnement culturel et éducatif diversifiant les sources de la connaissance et du savoir (A. Hencock). Les technologies de l'information et de la communication n'apportent pas des réponses immédiates mais peuvent lutter par une prise en compte individualisée des difficultés. Elles peuvent avoir un effet bénéfique sur les motivations et contribuent à la lutte contre l'échec et les violences.

La maîtrise du langage et de la lecture constitue le tout premier pouvoir à partager équitablement. L'enjeu est double : d'abord scolaire car il détermine la compréhension des élèves dans les autres disciplines, politique car de la maîtrise précitée dépend en grande partie l'insertion. En 1998, plus d'un élève sur cinq ne maîtrise pas les compétences de base en lecture et est en danger de marginalisation ; ces résultats ne cessent de se dégrader depuis plusieurs années.

VI. – Enseigner la morale

À mettre les experts en situation de responsabilité, on obtient des résultats souvent décevants. Il est sans doute plus facile de rappeler les carences et incompétences du politique dans la presse (cf. *Le Figaro* du 20 janvier 1998 et suivants). Enseigner la morale : la leçon ne peut résoudre les problèmes ! Si on doit enseigner la morale, c'est qu'elle a échoué ! Peut-on se limiter à des constats ? Le recul du gouvernement devant un enseignement programmé au lycée montre les difficultés à définir le fondement de la citoyenneté. La laïcité accepte l'éducation civique : à la famille de construire et de discipliner l'enfant. Les mesures doivent être personnalisées, en faveur de l'enfant à risques ou en difficultés. Les institutions, les familles, les

9

éducateurs se verront imposer la nécessité de solutions, condamnés à poursuivre des constats alimentant le défaitisme et l'impuissance. La morale peut s'exprimer par des concepts fondateurs dont le devoir ; le « devoir » de l'élève dépasse le respect d'un règlement intérieur ou la réponse à l'effort d'éducation. Il doit se rapprocher d'une éthique d'établissement. À la mission d'enseignement, celle d'éducation doit être précisée par celle d'une éthique professionnelle : librement définie, mais précise et structurante. Au flou libertaire, source de soi-disant créativité, le politique est en droit d'avoir des exigences liées à ses responsabilités envers le citoyen.

Peut-on parler de traitement médical, social, éducatif, de la violence qui s'affinerait en fonction des savoir-faire ? À l'approche individualisée ou sociétale, il est indispensable que l'élève puisse développer lui-même les moyens de se libérer de la violence ; la structuration de sa personnalité, l'acquisition d'un véritable langage, le contrôle de son désir, sa possibilité de se projeter dans l'avenir sont des nécessités.

Chapitre I

DÉFINITION ET MANIFESTATIONS
DES VIOLENCES SCOLAIRES

I. – Une définition plurielle

Les violences à l'école font l'objet de nombreux articles de presse et d'interventions dans les médias. La diversité des acteurs, des victimes, des faits et des actes de violence ne permettent pas de définir un phénomène complexe et multiforme. La violence est avant tout une « représentation sociale dépendant de conditions sociohistoriques déterminées » (Yves Montoya, professeur à l'Université de Bordeaux II). Comme le bruit, la violence est liée au niveau de perception de l'individu et toute tentative de définition est restrictive. Il existe non pas une mais des violences scolaires.

Les manifestations de la violence sont réparties en plusieurs groupes :

- les crimes et délits : vols, cambriolages, extorsions, coups et blessures, trafic et usage de stupéfiants, racket et viols ;
- les incivilités : insultes, bousculades... ;
- le sentiment d'insécurité ;
- les accidents de fonctionnement ;
- les autoviolences : le suicide ou l'automutilation.

La référence au Code pénal :

– les crimes ou délits contre les personnes :
  - atteinte à l'intégrité physique (art. 221-1), ou psychique (art. 222-2), le viol, menace de crime ou délit (art. 222-17) ;
– les crimes ou délits contre les biens ;
– les crimes ou délits contre la nation, l'État et la vie publique.

La violence liée à l'institution scolaire. – La violence qui corrigeait dans nos écoles primaires fait l'objet d'une nostalgie. Parfois les chercheurs montrent les profondes différences liées aux cultures, aux organisations, par exemple, entre l'Angleterre, l'Allemagne et la France.

– *La perception de la violence est liée aux acteurs :* l'enseignant et les élèves perçoivent une souffrance ; pour les uns, c'est l'indifférence vis-à-vis de l'enseignant, la violence verbale, différemment perçues selon le type de collège ; pour les autres, l'absence d'écoute, voire de « respect ».

– *La perception de la violence et les victimes :* longtemps délaissées, elles ont fait l'objet d'études[1] relevant l'intérêt de la prise en charge précoce des enseignants victimes d'agression en milieu scolaire.

De même, auprès des collégiens ont pu être identifiées des catégories dominantes de violence (manque de respect, affaires personnelles abîmées, vols, chantage, coups, racisme, racket, agressions ou harcèlement sexuel). Les auteurs parlent de phénomènes de

---

1. Dr Mario Horenstein, Mutuelle générale de l'Éducation nationale.

victimation, relevant la vulnérabilité différentielle des collégiens. Les violences sont liées au temps scolaire (hors des cours et pendant les récréations) et aux lieux (dans les escaliers ou dans les couloirs).

II. – **Histoire de la violence à l'école**

Historiens, sociologues, militaires... ont largement traité de la violence. Dans son ouvrage intitulé *La violence qui vient* (1997), le général de la Maisonneuve montre l'évolution de cette violence qui prend des formes de plus en plus diverses dans nos sociétés. Il existe pléthore d'histoires de l'enseignement en France, de l'éducation, de la violence... mais peu d'études précisément sur la violence dans les établissements scolaires. Les mémoires, les œuvres philosophiques ou littéraires permettent de percevoir des phénomènes de violence à l'école. Longtemps cachée et ignorée, la violence suscitait chez les victimes un sentiment de culpabilité qu'il convenait de taire afin de ne pas s'attirer les réprimandes de l'institution. Un enseignant chahuté ou victime de violences avait failli à sa mission et était donc par définition un mauvais enseignant. Cette violence n'est plus désormais un sujet tabou mais un phénomène complexe et grave dont il convient de prendre la juste mesure afin de l'éradiquer.

Il existe dans l'histoire de la violence scolaire, deux axes fondamentaux. Le premier approuvé par Durkheim consiste à reconnaître que l'enseignant doit faire preuve d'autorité en ayant parfois recours à la violence, considérée comme une pratique normale et un élément constitutif de l'enseignement ; c'est ce qu'Éric Debarbieux nomme la pédagogie du redressement, dans son ouvrage *La violence en milieu scolaire* (1996). Le second axe montre que les élèves se sont, à des époques différentes, révoltés de façon violente pour des motifs divers contre l'institution scolaire et ce qu'elle pouvait symboliser.

Dès l'Antiquité, on retrouve l'idée de l'enfant turbulent, incontrôlable qu'il convient de « dresser » afin de se faire entendre. Ainsi, au VIe siècle avant Jésus-Christ, dans le royaume perse, dès l'âge de 7 ans, l'éducation devait contribuer à la formation du futur guerrier. Platon dans *Les Lois,* présentait l'enfant comme une « bête rusée » et insolente dont il fallait se méfier. En Grèce, en particulier à Sparte, les coups et la souffrance de l'enfant avaient une valeur d'endurcissement. De telles pratiques ont longtemps perduré, même les Pères de l'Église recommandaient la plus grande sévérité à l'égard des enfants qu'ils affublaient de toutes les tares. Dans une société en proie à la violence, cette dernière apparaissait comme un véritable rite de socialisation et d'attente de la vie adulte.

Les humanistes du XVIe siècle accordent une place prépondérante à l'éducation. Érasme, Rabelais ou encore Montaigne ont mené une réflexion sur ce sujet. Ils ont sévèrement critiqué l'enseignement de l'époque, fondé sur la scolastique, qui consistait à apprendre par cœur sans aucun discernement. Ils insistent sur le fait que l'élève se sente bien avec son maître qui doit être à son écoute.

Les philosophes des Lumières ainsi que les révolutionnaires se sont fortement intéressés à l'éducation qui était essentielle dans la formation des futurs citoyens. Rousseau place l'enfant au centre de toutes les considérations pédagogiques. Le maître doit prendre en compte la spécificité de son élève avec qui il dialogue sans violence aucune. Il assure son éducation morale, intellectuelle, manuelle.

Plus tard, les pères de la République tels que Gambetta ou Ferry ont défendu avec acharnement l'éducation afin de la soustraire à l'église.

Jean Claude Caron (*À l'école de la violence. Châtiments et sévices dans l'institution scolaire au XIXe siècle*, 1999) rappelle que, « l'institution scolaire, dans les rapports reliant les acteurs (y compris les élèves entre eux), apparaît comme un milieu "violentogène" ».

En 1883, le lycée Louis-le-Grand qui accueillait déjà l'élite, connaît une émeute violente où les maîtres d'études et le proviseur sont sérieusement malmenés par les élèves. Ces derniers se défoulent et n'hésitent pas à briser des vitres et du mobilier scolaire. L'intervention de la gendarmerie est nécessaire pour restaurer l'ordre.

Le débat sur la violence reprend au début de la IIIe République ; les « hygiénistes » critiquant de façon véhémente la violence contre les élèves.

L'évolution du système scolaire. – Depuis plus de vingt-cinq années, l'institution scolaire réfléchit sur le problème de la violence scolaire. En 1971, le rapport Sélosse, « Le rôle dans la prévention de la délinquance juvénile », établit un lien entre délinquance et échec scolaire et définit les écoles à risques. En 1983, le rapport Léon, « violences et délinquance chez les jeunes », prône des actions reliant l'école, la ville et les associations et affine la typologie des établissements violents.

J.-P. Chevènement, ministre de l'Éducation nationale, décide (12 novembre 1985) qu'il faudrait désormais conduire 80 % de la classe d'âge au baccalauréat en l'an 2000. Cet objectif repris par tous les ministres successifs de l'Éducation nationale, n'a pas été atteint à la veille de l'an 2000 mais a eu pour effet de démocratiser l'enseignement secondaire.

Face à de telles ambitions, le budget de l'Éducation nationale est devenu le premier budget de la nation avec 326,9 milliards de francs, soit environ 20,9 % du budget total de l'État en 1997 contre 12,4 % du budget dans les années 1960. Dans le même temps, le nombre d'enseignants et d'élèves du second degré a connu une croissance exponentielle, passant d'environ 44 000 enseignants en 1963 pour 1 200 000 élèves à près de 509 000 enseignants dans le second degré en 1998 pour 5 694 000 élèves. Au total, 12 304 000 élèves sont scolarisés dans 71 200 écoles, collèges et lycées, publics et privés.

Au cours des années 1990, la violence est au cœur des préoccupations des différents ministres de l'Éducation nationale. En 1993, le rapport Barret dresse une typologie des conduites violentes : agressions verbales, physiques ou sexuelles, vols, dégradations de locaux, racket, trafic de drogue. En 1994, le rapport Braunstein-Dasté porte sur les établissements sensibles. En 1995, le rapport Fotinos sur la violence dénonce l'absence de formation des enseignants et le manque de repérage du phénomène.

III. – Les violences scolaires dans la presse

Une rixe entre jeunes, l'agression d'un enseignant ou encore le vandalisme dans un établissement scolaire suscitent une véritable surmédiatisation. Ces articles figurent dans des rubriques comme « Société » pour *France Soir,* « Vie quotidienne » ou « Notre vie » pour *Le Figaro,* « Éducation » pour *Le Monde,* « Débats » pour *Libération,* « Notre époque » pour *Le Nouvel Observateur...* Les violences scolaires sont abordées dans la presse de trois façons : la consultation de spécialistes, le fait divers que l'on relate, les problèmes que l'on détaille.

Une lecture de la presse fait apparaître que souvent la violence est l'apanage des spécialistes. Ainsi, chercheurs du CNRS, sociologues, professeurs en sciences de l'éducation, inspecteurs généraux de l'Éducation nationale, psychologues, psychiatres, théologiens moralistes et parfois même politiques sont très souvent sollicités afin d'apporter leur témoignage, comme Philippe Meirieu, professeur en sciences de l'éducation à l'Université Lyon II, animateur de la consultation sur les lycées.

Globalement, le discours des chercheurs sur les manifestations de la violence est souvent identique et s'articule autour de quelques idées récurrentes :

– augmentation de la violence et des incivilités ;
– la violence touche des adolescents de plus en plus jeunes et concerne principalement les collèges ;
– il s'agit d'une violence urbaine impliquant des établissements classés en ZEP ;
– le contexte familial et économique ainsi que la situation d'échec scolaire sont déterminants.

L'avis des représentants institutionnels (recteurs, inspecteurs d'académie) est aussi très prisé par les journalistes mais leurs propos sont souvent itératifs et parfois excessifs.

Certains chercheurs reprochent à l'institution scolaire de ne pas être suffisamment adaptée. L'école doit se transformer afin de répondre à l'évolution des publics scolaires et la formation initiale des enseignants en Institut universitaire de formation des maîtres est remise en cause.

D'autres avancent l'idée que le phénomène de violence est avant tout un problème de société et que l'école ne parviendra pas seule à en porter tous les maux.

Les journaux ne manquent pas aussi de donner la parole aux enseignants et aux chefs d'établissement. Certains articles insistent sur les difficultés du monde enseignant alors que d'autres mettent en avant des expériences originales qui apparaissent comme une réussite. Ces témoignages présentent un intérêt certain, bien qu'il s'agisse d'un discours soit alarmiste (enseignants devenus dépressifs), soit optimiste (*Le Nouvel Observateur* du 8 février 1996 : « La peur à l'école, ces profs qui résistent »).

La presse locale valorise souvent les expériences menées sur le terrain pour lutter contre la violence. Ainsi, par exemple, le quotidien *Les Dernières Nouvelles d'Alsace* présente les actions réalisées par l'association Thémis qui regroupe des avocats, des psychologues, des magistrats, des enseignants, des éducateurs et des travailleurs sociaux. Cette dernière est proche des jeunes et réalise une information d'aide et d'écoute dans les établissements scolaires afin de faire reculer la violence. La presse relate assez largement des exemples de coopération entre la police, les magistrats et l'Éducation nationale, comme à Beauvais ou encore en Seine-Saint-Denis, où les résultats obtenus sont souvent encourageants. Une telle coopération entre les différents partenaires est souvent présentée comme l'une des solutions afin de lutter efficacement contre la violence qui devient l'affaire de tous.

La journée d'information sur la violence organisée le 20 septembre 1996 dans tous les établissements scolaires à la demande du ministère de l'Éducation nationale ainsi que la réunion des 1er et 2 février 1997 qui regroupait 500 représentants d'élèves font l'objet de vives critiques. On reproche à ces mesures de ne pas aller assez loin dans la lutte contre la violence. D'autres journaux comme *La Croix* insistent sur l'importance des valeurs qu'il convient de faire retrouver aux adolescents. Rétablir une véritable morale civique chez les jeunes pourrait être une première étape pour résorber la violence. Ce quotidien (14 janvier 2003), avec le titre « Le lycée de la Tournelle ferme ses grilles contre la violence », dénonce le climat particulier de cet établissement où une enseignante s'est fait poignarder en plein cours par une élève. Une presse spécialisée s'interroge également sur les impacts de la violence familiale. La *Revue du praticien de médecine générale* du 2 avril 2001 se demande : « Faut-il battre les enfants ? » ou constate : « Les enfants battent aussi leurs parents. » *Le Figaro* du 18 janvier 2003 publie « L'insupportable vengeance des violeurs de la collégienne ».

On rencontre trois grandes dérives des organes de presse :

La première consiste à utiliser un titre racoleur comme *L'Express* du 23-29 mars 1995 dont la couverture met en avant « La violence à l'école. Comment protéger nos enfants. Exclusif : le plan Bayrou ».

La deuxième dérive est de jouer fortement sur la peur et le sensationnel en utilisant des stéréotypes. *France Soir* du 26 septembre 1996 publie une photographie caricaturale d'une agression où les acteurs portent une casquette et dont l'un des deux a le visage masqué avec au-dessous un gros titre « Violence à l'école. Zéro de conduite ». Ce type d'article ne fait qu'alimenter la crainte des jeunes de la banlieue et contribue à véhiculer une idéologie xénophobe.

La troisième dérive est de prétendre à l'existence de réponses concrètes. *Le Nouvel Observateur* du 19-25 décembre 1996 consacre un dossier intitulé « Dix vérités et dix erreurs sur la violence à l'école » et se propose d'apporter des solutions aux problèmes de violence.

La presse participe assez largement au débat sur la violence, mais ne prend pas toujours la mesure de la complexité du sujet. On peut parfois lui reprocher de dresser hâtivement un tableau noir de la situation à partir d'un exemple que l'on érige en vérité absolue alors qu'en dédramatisant le débat, on permettrait aux acteurs de terrain de travailler dans une plus grande sérénité.

IV. – Les chiffres de la violence

É. Debarbieux rappelle que l'existence de chiffres sur la violence en milieu scolaire est récente et que jusqu'en 1993, il n'existait pas de comptabilité régulière du taux de criminalité en milieu scolaire. Les différents rapports de l'inspection générale ont tenté d'avancer des chiffres sur la violence dans les établissements scolaires, mais, d'après É. Debarbieux, ces chiffres sur la violence dans les collèges datent de juillet 1979, et sur les lycées d'enseignement professionnel, de septembre 1980.

Il ressort d'après les chiffres de l'Inspection générale, que 80,5 % des établissements de l'échantillon de l'époque connaissaient des dégradations dont près de la moitié présentait une certaine gravité. Les agressions contre les adultes dans 44 % des cas étaient plus verbales que physiques, l'absentéisme se situait entre 4 et 6,7 %. La prise en compte par les pouvoirs publics de l'essor de la violence en milieu scolaire entraîne en 1993-1994 une enquête des ministères de la Justice et de l'Intérieur. Dans le département du Val-de-Marne, la criminalité scolaire représentait 1 % de la délinquance du département. Le procureur général Claude Jorda note une très forte baisse (50 %) des violences les plus graves contre une très forte hausse des « actes générateurs de tension au quotidien » (vols, dégradations, insultes, violences légères). Après l'annonce du plan Bayrou en 1995, le ministre de l'Éducation nationale réalise à partir de 1996, la première enquête nationale sur la violence. Elle procède trimestriellement à un recensement de l'absentéisme et des phénomènes de violence dans les établissements scolaires. L'enquête concernant les mois de décembre 1997, de janvier, février et mars 1998, permet d'obtenir des chiffres globaux au niveau national et aussi par académie. Cette enquête confirme, comme le rappelle É. Debarbieux, « que la violence criminelle reste heureusement peu fréquente ».

Les cas de violence signalés aux rectorats par les établissements scolaires ont nettement reculé lors de l'année scolaire 1999-2000 et les faits de violence grave se sont légèrement accrus, passant à 2,8 % des signalements contre 2,6 % en 1998-1999.

Selon les statistiques publiées par le ministère de l'Éducation nationale entre septembre 1999 et juin 2000, les établissements scolaires du second degré ont signalé en moyenne 225 000 incidents par trimestre, dont 2,8 % de faits graves. En 2001-2002, 900 agressions sur des personnes contre 1 000 en 1998-1999 et 1 600 actes graves portant sur des biens contre 1 750 ont également été répertoriés. Les faits graves qui font l'objet d'un signalement au procureur de la République se répartissent en violences verbales (50 % de l'ensemble des signalements toutes gravités confondues), atteintes physiques aux personnes (15 %), dégradations (15,7 %), vols ou tentatives et recel (10,4 %), consommation de drogue et trafic (2,7 %), port d'armes blanches, de bombes lacrymogènes ou d'autres armes (0,9 %), port d'armes à feu (0,01 %), intrusions (4,8 %), suicides et tentatives (0,5 %).

É. Debarbieux, directeur de l'Observatoire européen de la violence scolaire (n° 308 des *Cahiers français,* « État, société et délinquance », octobre 2002), confronte les statistiques officielles aux enquêtes de victimation qu'il mène depuis dix ans en milieu scolaire concernant 30 000 élèves et évalue les chiffres officiels des actes de délinquance. Les réticences des directeurs d'établissements ou des victimes à déclarer les faits laissant penser qu'il existe un « chiffre noir » c'est-à-dire la différence entre la délinquance totale et celle enregistrée, les faits les plus graves étant néanmoins repérés.

À la rentrée 2001-2002, un nouveau logiciel (SIGNA) permet un relevé plus précis des faits pénalement qualifiables. Sur le premier trimestre 14 780 incidents graves ont été relevés dans le second degré, soit une augmentation considérable qui traduit une bien meilleure mobilisation des établissements et de la hiérarchie intermédiaire. É. Debarbieux s'attache à définir cinq types de victimations (insulte, racisme, coups, vol, racket). 13,8 % des collégiens des établissements défavorisés n'auraient subi aucune victimation, alors que 2,6 % auraient subi les cinq.

Les violences, un phénomène multiforme. – Les violences recensées par les établissements peuvent se regrouper autour de six grands types :

– les violences verbales viennent en tête pour les collèges (65 %) et les lycées professionnels (64 %) et sont au deuxième rang pour les lycées (43 %) ;
– les violences physiques viennent au deuxième rang pour les collèges (64 %), les lycées professionnels (57 %) et au troisième rang pour les lycées (37 %) ;
– les vols ou tentatives de vol viennent en première position pour les lycées (49 %) et au troisième rang pour les lycées professionnels (50 %) et les collèges (45 %) ;
– les dégradations de locaux viennent au quatrième rang pour les lycées (22 %) et les collèges (28 %) au cinquième rang pour les lycées professionnels (29 %) ;
– la détérioration des matériels de l'établissement vient au sixième rang pour les lycées (21 %), au cin-

quième rang pour les collèges (28 %) et au quatrième rang pour les lycées professionnels (31 %) ;
– les tags viennent au cinquième rang pour les lycées
(25 %) et au sixième rang pour les lycées professionnels (22 %) et les collèges (20 %).

On constate qu'il existe aussi d'autres types de violence. La consommation de stupéfiants vient en premier. L'enquête révèle que 21 % des lycées professionnels, 21 % des lycées et 5 % des collèges se disent
concernés par un tel phénomène. La détérioration de
biens personnels concernerait 18 % des collèges, 17 %
des lycées professionnels et 13 % des lycées.

Les victimes et les auteurs. – On remarque que les
élèves sont les principales victimes des phénomènes de
violence : 42 % dans les lycées, 54 % en lycées professionnels, 69 % en collèges. La seconde victime des
phénomènes de violence est les établissements scolaires avec 41 % des lycées, 22 % des lycées professionnels et 15 % des collèges. Dans les lycées professionnels, 22 % des victimes sont des membres du
personnel. Les auteurs sont, dans une très large majorité, des élèves (96 % dans les collèges, 88 % dans les
lycées professionnels et 86 % dans les lycées), les auteurs inconnus représentant 13 % en lycée contre 8 %
en lycée professionnel et 3 % en collège.

Le logiciel de comptabilisation (SIGNA) recense les
actes de violences les plus graves et retient diverses infractions :

– violences verbales et injures (insultes ou menaces
graves, injures à caractère raciste) ;
– port d'armes blanches (port d'armes autres
qu'armes à feu) ;

- port d'armes à feu ;
- vol (vol ou tentative) ;
- racket (racket ou tentative, extorsion de fonds) ;
- violences sexuelles (violences physiques à caractère sexuel) ;
- coups et blessures (violences physiques sans arme, avec arme) ;
- toxicomanie (consommation de produits stupéfiants) ;
- trafic de stupéfiants ;
- dégradations (dommages aux locaux, au matériel de sécurité, au matériel autre que le matériel de sécurité, aux biens personnels autres que véhicules, aux véhicules, incendies, tags) ;
- non référencé (bizutage, fausse alarme, intrusion de personnes étrangères à l'établissement, jet de pierres ou autres projectiles, tentative d'incendie, tentative de suicide, suicide, trafics divers autres que de stupéfiants, autres faits graves).

Une typologie permet de retenir : les violences morales (incivilités, indiscipline, harcèlement en milieu éducatif, violence psychologique...), les violences physiques (vol, racket, bizutage, violences sexuelles, suicide, maltraitances, carence éducative...) et les violences sociales (dépouille, violence dans les transports publics et scolaires, vandalisme, conduites à risque, comportements suicidaires...).

V. – **Les violences morales**

Les incivilités. – Sébastian Roche dans son ouvrage *La société incivile* (1996) estime que « les incivilités n'ont pas de définition juridique... Les incivilités ont des incarnations anodines, telles que le défaut de politesse, l'agressivité verbale ou encore le manque de propreté et le bruit. On ne peut pas considérer les incivilités comme des délits, encore moins comme des crimes. Elles ne sont pas réductibles à la délinquance, tout en lui étant liées ». Elles ne relèvent pas du Code pénal et sont difficilement quantifiables. Elles alimentent un climat malsain, engendrent des situations de malaise des enseignants et désorganisent la vie scolaire.

D'après É. Debarbieux, « cette forme de violence est grave et révélatrice d'une crise forte du lien social. C'est aussi celle qui est dominante en milieu scolaire et qui complique le malaise actuel bien plus que les violences brutales. Ce n'est pas forcément la classe ingouvernable ou l'éclat des grands chahuts, mais la certitude d'une dégradation constante, de l'élargissement d'un fossé ». À terme, ce fossé contribuera à engendrer des phénomènes de violence venant d'élèves qui auront le sentiment qu'ils peuvent agir en toute impunité. Au sein de l'établissement, les élèves tentent d'imposer les règles de la cité notamment dans les établissements où le mouvement du personnel est important.

Le colloque « Stop aux incivilités » qui s'est tenu au Sénat le 6 décembre 2001, a mis en évidence la nécessité de se garder d'une simple approche sécuritaire, mais de s'attacher aux causes du phénomène. S'il est indispensable de définir des sanctions pour montrer notre refus des agressions ou du bruit, la lutte contre l'illettrisme est également fondamentale. Rééduquer la société en matière de civisme, c'est apprendre à contrôler ses pulsions, à respecter l'autre dans sa différence et sa culture.

L'indiscipline. – Il s'agit d'un phénomène lié à la perception de chaque enseignant. Ainsi, un instituteur considérera la mauvaise tenue d'un cahier comme une manifestation d'indiscipline, tandis qu'un autre attachera beaucoup plus d'importance au fait d'avoir le silence complet dans sa classe. La configuration de la classe peut être une des causes de l'indiscipline, mais aussi le manque de motivation et les difficultés de communication.

Dans le cadre de la politique de la relance des zones d'éducation prioritaire (ZEP), le ministère de l'Éducation nationale a organisé les assises des ZEP à Rouen les 4 et 5 juin 1998. Les instituteurs et professeurs des écoles signalent une augmentation de l'indiscipline, de l'agitation et du bruit qui rendent l'exercice de leur métier de plus en plus difficile. Ainsi, les actes de violence sont assez fréquents dans 42 % des classes primaires de ZEP et 34 % des classes maternelles ; beaucoup moins courants (18 % à 21 %) selon les directeurs d'écoles maternelles et primaires. Un constat fait apparaître que la fréquence des actes de violence est à mettre en relation avec le nombre d'élèves en grande difficulté scolaire.

Le harcèlement en milieu éducatif. – Marie-France Hirigoyen le définit comme : « Toute conduite abusive qui se manifeste par des comportements, des paroles, des actes, des gestes, des écrits pouvant porter atteinte à la personnalité, à la dignité ou à l'intégrité physique ou psychique d'une personne... »

Le rapport de la MGEN (1998), à la suite d'une enquête menée dans 14 centres, prend en compte deux types de harcèlement :

– les événements traumatiques menaçant l'intégrité physique et déclenchant une réaction émotionnelle chez la plupart des personnes. Cette réaction émotionnelle doit comporter une peur intense, le sentiment d'impuissance ou l'horreur (coup et blessures volontaires, menaces d'agression physique imminente...) ;
– les situations traumatiques intégrant le concept d'environnement hostile. La subjectivité de la victime et les effets des agissements sur sa productivité et sa santé sont pris en compte.

Ces pratiques abordent la violence quotidienne dans les établissements sous une autre approche. Il s'agit de harcèlement sexuel se concrétisant par des ordres, menaces, contraintes, d'intrusion par des menaces, de haine en rapport avec l'âge, la race, un handicap éventuel, de dissidents, victimes de l'institution ou de type professionnel par des menaces diverses déstabilisant la fonction. Le Dr Mario Horenstein et son équipe considèrent que ces types de harcèlement sont le reflet du manque de soutien social et qu'il est nécessaire d'organiser une prise en charge préventive.

La plupart des victimes sont des enseignants, mais aussi des bibliothécaires, assistantes sociales, conseillers principaux d'éducation, conseillers d'orientation psychologues, surveillants. Les types d'agissement les plus caractéristiques pour chaque catégorie professionnelle sont une surreprésentation pour les atteintes à la réputation pour les enseignants des atteintes aux tâches professionnelles pour les administratifs et des menaces et agressions pour le personnel de direction et technique. C'est dans les ZEP que le pourcentage de victimes de harcèlement est le plus fort : 25,2 % (contre 8,5 % en zone favorisée). Les auteurs sont pour la plus grande partie des élèves (36 %).

La violence psychologique. – Toute forme de violence apparaissant dans le cadre d'une relation, ainsi que la violence psychologique qualifiée de cruauté mentale sont un abus de pouvoir et de contrôle. Rejeter, dégrader, terroriser, isoler et exploiter une personne sont des comportements de violence psychologique qui peuvent s'accompagner d'autres formes de mauvais traitements. Reconnue depuis peu, elle reste difficile à détecter, à évaluer et à prouver.

Certaines violences considérées à présent comme psychologiques à l'égard de l'enfant étaient perçues comme éducatives. Elles peuvent entraîner de graves problèmes sur le plan émotionnel et comportemental : dépression, absences d'attaches affectives ou émotionnelles, diminution des capacités et des résultats scolaires.

La maltraitance. – Pour l'ODAS[1], l'enfant maltraité peut être un enfant victime de violence physique, cruauté mentale, abus sexuel ou négligences lourdes. L'enfant en danger est celui qui connaît des conditions d'existence préjudiciables à sa santé, sa sécurité, sa moralité, son éducation ou son entretien, mais qui

1. Observatoire national de l'action sociale.

n'est pas pour autant maltraité. Le signalement est donc une absolue nécessité du point de vue éthique, légal et déontologique.

Cinq catégories d'infractions peuvent être retenues :
– les violences physiques ou morales ;
– les incitations et provocations ;:
– les viols et agressions sexuelles ;
– l'exploitation sexuelle ;
– la pédophilie.

Si une telle situation est suspectée et si une évaluation complémentaire apparaît nécessaire, le signalement s'impose au procureur de la République.

VI. – **Les violences physiques**

Le racket. – Le racket n'est pas une simple infraction. Il établit une relation auteur–victime : dévalorisation de l'un, domination de l'autre, par des menaces sourdes, sur des plus faibles.

Le racket toucherait, d'après les établissements, 10 % des lycées professionnels et 11 % des collèges. De plus, 14 % des lycées professionnels et 16 % des collèges se disent concernés par le port du couteau ou du cutter. De tels phénomènes présentent un degré de gravité important qui s'apparente à la grande délinquance. L'enseignement primaire est aussi concerné dès les classes de CE1, CE2. Les enfants subissent des pressions répétées pour de petits rackets : goûters, billes...

De victime, le passage à l'état d'auteur peut se faire, rentrant ainsi dans un comportement de type mafieux. Tous les troubles du comportement, de l'absentéisme généré par des problèmes familiaux, jusqu'au racket, doivent être repérés et traités (devoirs, punitions). L'approche par l'information n'est pas suffisante et le rôle d'observation des enseignants est essentiel.

En janvier 2000, Ségolène Royal, ministre déléguée chargée de l'Enseignement scolaire, décide de lancer la campagne nationale d'information et de lutte contre le racket en distribuant 3 millions de dépliants à tous les collégiens pour expliquer « comment briser la loi du silence ».

1 104 actes ou tentatives de racket ont été signalés par les chefs d'établissement sur l'ensemble du territoire de septembre à décembre 2001. Mais ces chiffres, estime Sonia Henrich, présidente du Comité national de lutte contre les violences scolaires, demeurent partiels et n'expriment pas l'évolution des formes de racket. Celui-ci se déplace de l'intérieur des collèges et lycées vers l'extérieur des établissements et s'effectue en bande, contre des victimes isolées.

Le bizutage. – Les quatre piliers du bizutage sont le chantage, la peur, l'humiliation et l'exténuation physique. Le *BOEN* du 25 septembre 1977 précise que ce terme est apparu au XIXᵉ siècle à l'école militaire de Saint-Cyr et a été largement diffusé depuis. Il se définit comme une série de brimades, d'actes humiliants ou dégradants que les étudiants débutant un cycle se résignent à effectuer ou à subir sous la menace de représailles ou de marginalisation.

Dès septembre 1997, le ministère de l'Éducation nationale sensibilisait les recteurs à cette forme de violence, en leur rappelant que les autorités judiciaires et scolaires devaient intervenir contre les faits de bizutage, dans l'attente de l'examen du projet de loi.

Il s'agit d'un délit clairement énoncé dans la loi n° 98-468 relative à la prévention et à la répression des infractions sexuelles ainsi qu'à la protection des mineurs et rappelé dans une instruction parue au *Bulletin officiel* du 27 juillet 2000. La loi prévoit une répression pénale pour les élèves mais aussi pour les enseignants et punit ce délit de six mois d'emprisonnement et de 50 000 F d'amende. Les circonstances sont aggravées lorsque la victime est particulièrement vulnérable.

Le suicide. – Pour Ghislaine Bouchard (psychologue), le suicide est un comportement qui cherche et trouve une solution. L'adolescence est une période plus susceptible d'engendrer des comportements suicidaires, car il s'agit d'une période intense de changement social, familial, physique et affectif.

Le suicide représente la deuxième cause de mortalité chez les 15-24 ans, après les accidents de la route. Les tentatives de suicide sont beaucoup plus nombreuses et concernent davantage les garçons que les filles. Dans 60 % des cas, les jeunes ont un comportement violent, mais aucune maladie psychiatrique avérée. Toutefois, on constate que les sévices sexuels sont souvent à l'origine d'un suicide. La majorité des tentatives de suicide reste sans suivi psychothérapeutique, ce qui expliquerait le fort taux de récidives.

La prise en charge hospitalière tend à s'organiser, dans les services d'urgence qui accueillent un grand nombre de suicidants, dont près de la moitié pour récidive.

Les violences sexuelles. – Le Code pénal (art. 434-1) stipule que « le fait, pour quiconque, ayant connaissance d'un crime dont il est encore possible de prévenir ou de limiter les effets, ou dont les auteurs sont susceptibles de commettre de nouveaux crimes qui pourraient être empêchés, de ne pas en informer les autorités judiciaires ou administratives, est puni de trois ans d'emprisonnement et de 45 000 € d'amende ».

Selon l'ODAS en l'an 2000, on dénombrait 5 500 cas de signalements de présomptions d'abus sur mineurs. Le service national d'accueil téléphonique pour l'enfance maltraitée (SNATEM) signale que 13 % des mauvais traitements sont de nature sexuelle. La famille proche est mise en cause dans 93 % des cas, l'entourage dans 3 % et le milieu institutionnel dans 2 %. En 1999, les statistiques du ministère de la Justice faisaient état de 634 condamnations pour viols sur mineurs et 4 190 condamnations pour agressions sexuelles.

Le *BOEN* du 22 mars 2001 fait état de la circulaire n° 2001-044 énonçant un devoir de vigilance dans le cadre de la protection du milieu scolaire. Les fonctionnaires de l'Éducation nationale ont obligation d'aviser sans délai le procureur de la République d'un crime, délit ou abus sexuel, à l'intérieur comme à l'extérieur de l'établissement, dès qu'ils en ont connaissance. Ils doivent également en informer l'inspecteur d'académie et le président du conseil général.

VII. – Les violences sociales

La dépouille. – Pour Judith Lazar (« La violence des jeunes : comment fabrique-t-on des délinquants ? ») c'est déposséder quelqu'un de ce qui lui appartient, le plus souvent en bande, et se réalisant n'importe où, à l'école, dans la rue, les transports en commun, un centre commercial, sans distinction de quartiers, ni de lieux. Le degré de violence peut varier de la simple menace verbale à la menace armée, mais parfois un simple regard peut suffire pour faire comprendre à la victime, de céder sans bagarre. Les enjeux de la dépouille visent à une revalorisation de l'individu par la soumission du faible.

La violence dans les transports publics et scolaires. Elle connaît une progression spectaculaire. Un rapport de l'Union des transports publics daté de septembre 2001 indique que l'insécurité dans les transports urbains a augmenté en 2000, sauf en Île-de-France où elle a légèrement diminué (– 0,6 % à la RATP, – 3,3 % à la SNCF). C'est ainsi que 926 agressions ont été recensées en province en 2000 contre 778 en 1999 (+ 5 %) et les violences suivies d'un arrêt de travail ont progressé de 21,6 % pour s'établir à 27 000 jours. En 2000, on a recensé trois agressions pour un million de voyages, soit une toutes les deux heures. La RATP dépense environ 1,5 millions de francs par an pour sa sécurité. La Régie tente de généraliser les mesures prises comme la vidéosurveillance, la présence du personnel en contact avec le public, la radiolocalisation des bus et des équipes de sécurité. À la SNCF, la direction multiplie également les mesures de lutte contre la violence, en embauchant du personnel chargé de la sécurité et des contrôles et en développant l'expérimentation de rames courtes du RER dans lesquelles les voyageurs peuvent se regrouper dans deux voitures seulement.

Les transports scolaires qui sont des services réguliers publics, au sens de l'article 29 de la loi n° 82-1153 du 30 décembre 1982 d'orientation des transports intérieurs, connaissent également une montée de la violence. Ils sont placés sous la responsabilité du département par la loi du 22 juillet 1983.

Le vandalisme. – C'est une incivilité, mais sa gravité mériterait de le classer à un degré supérieur. Il vise les institutions, les gymnases, la mairie, l'école ou le collège, les transports publics ou administratifs. Les motivations peuvent être très différentes. Sébastian Cohen propose divers qualificatifs de vandalisme : acquisitif, tactique, idéologique, par vengeance, ludique et malveillant. Le vandalisme possède une caractéristique particulière, en raison du côté gratuit de la destruction qui plonge les victimes dans l'incompréhension et contribue à alimenter le sentiment d'insécurité. « En vingt ans, l'insécurité a augmenté en France de 40 % ; on est passé d'environ 2,8 millions de faits constatés à plus de 4 millions » (Nicolas Sarkozy, ministre de l'intérieur, *Le Monde* du 30 mai 2002).

Les conduites à risque. – Depuis 1971, l'Éducation nationale a jugé opportun de porter une extrême vigilance à toute conduite déviante des élèves placés sous sa responsabilité. Ainsi chaque symptôme en amont ou qui accompagne la violence, est censé faire l'objet, de la part des enseignants ou autres personnels, d'un signalement à la direction des établissements : il peut s'agir de toxicomanie, de comportements suicidaires ou compulsifs (consommation excessive de tabac, d'alcool, d'anxiolytiques, boulimie ou anorexie), ou encore d'absentéisme qui sont des indicateurs de « conduites à risque ». Les symptômes liés à l'usage de drogues ont fait l'objet des circulaires n° 71-1096 du 3 novembre 1991 et n° 73-181 du 27 mars 1993, parallèlement aux mesures d'orientation de leurs éventuels consommateurs vers des centres de désintoxication. La circulaire n° 77-107 du 17 mars 1977 incite les principaux responsables pédagogiques et médico-scolaires à veiller aux « signes de détresse » des adolescents et à informer ces derniers des risques que la toxicomanie leur fait courir.

Dès 1983, la notion d' « adultes relais », susceptible de prodiguer écoute et conseils sans avoir à trancher ni juger, se fait jour au sein des établissements. La volonté de créer des lieux d'écoute pour adolescents à problèmes donne naissance à celle d' « équipe relais », ayant pour vocation de porter assistance aux jeunes en détresse, grâce à la circulaire n° 85-118 du 26 mars 1985. L'Éducation nationale, en étroite collaboration avec la délégation générale à la lutte contre la drogue et la toxicomanie, crée, dans sa lettre du 22 octobre 1990, le comité d'environnement social, destiné à édifier les principaux piliers fondateurs d'un pont entre la vie scolaire et la vie sociale du quartier. Autour du chef d'établissement et des représentants les plus significatifs de tout son personnel (direction, enseignement, surveillance, administration sanitaire et sociale, ATOS...), se regroupent les partenaires associatifs et institutionnels qui créent un comité de pilotage.

La mission du Comité d'environnement social, élargie par la circulaire n° 93-137 du 25 février 1993, comprend aussi la recherche de solution aux problèmes de santé des jeunes et étend son champ d'action aux écoles primaires, tout en portant une attention plus soutenue aux zones d'éducation prioritaire.

Le Comité d'éducation à la santé et à la citoyenneté, officialisé par le *BOEN* n° 28 du 9 juillet 1998, se substitue au Comité d'environnement social. Trois principes restent à la base de la nouvelle structure : les actions de prévention doivent s'inscrire dans un projet éducatif cohérent ; la responsabilité des personnels de l'Éducation nationale est engagée dans le devoir de prévention ; les parents doivent en être informés et y être associés ; enfin le recours à des partenaires extérieurs ne doit pas être un prétexte au désengagement de l'Éducation nationale.

Les missions du Comité sont identiques aux précédentes : rendre l'élève responsable, autonome et acteur de prévention.

Toxicomanie, tabagisme, éthylisme : jeunes et dépendance. – Une enquête nationale conduite par Marie Choquet en 1993 indiquait que, en matière de drogues (hors alcools et tabac), 85,3 % des jeunes déclaraient n'en avoir jamais fait usage, 6,1 % avouaient en avoir consommé une fois ou deux fois, 3,2 % en avaient testé de trois à neuf fois et 5,4 % reconnaissaient avoir essayé plus de dix fois. La consommation des drogues dures comme l'héroïne ou la cocaïne demeure marginale chez les adolescents (0,9 et 1,1 % selon la même enquête). La consommation de tabac est la plus fréquente chez les jeunes mais elle est passée, suivant une enquête du Comité français pour l'éducation à la santé (CFES) de 46 % en 1977 à 34 % en 1996 et l'âge moyen pour commencer à fumer a reculé puisque de 12,5 ans en 1980 il est descendu à 14,3 ans en 1996.

Le Dr Francis Curtet[1] définit la dépendance comme « le symptôme d'une incapacité à surmonter d'énormes difficultés d'origine relationnelle ou sociale ». Il est donc nécessaire de se concentrer sur la motivation et les causes profondes qui conduisent l'adolescent à cette dépendance.

S'il a pour mission essentielle de faire acquérir des connaissances à ses élèves pour leur future intégration dans la vie active, l'enseignant doit aussi pouvoir mesurer les capacités d'attention, de concentration de chaque élève, remarquer la fréquence des absences, l'isolement ou la morosité de certains. Les comportements agressifs, violents ou le manque d'intérêt pour l'activité de la classe sont des indicateurs que l'enseignant doit communiquer à toute l'équipe pédagogique et médico-sociale.

Deux enquêtes menées en 1995 et 1999 démontrent que la plupart des jeunes de 16 ans ont déjà consommé une boisson alcoolisée et que l'alcool vient en première position des substances psychotropes expérimentées par les jeunes européens qu'il s'agisse de garçons ou de filles. La consommation d'alcool a lieu, pour la plupart des adolescents, lors de fêtes entre amis ou de sorties en boîte de nuit.

Dans les Actes de l'université d'automne de la Direction de l'enseignement scolaire (DESCO), organisée

---

1. « Dépendances et conduites à risque – l'adolescence à la croisée des chemins », Centre national de documentation pédagogique, *TDC* (*Textes et documents pour la classe*), n° 735, du 1er au 15 mai 1997.

du 28 au 31 octobre 2000, les intervenants considèrent que, quelles que soient les motivations évoquées, la prévention s'avère essentielle, tant pour répondre à des demandes d'informations ayant trait aux seuils de dangerosité que pour tenter de modifier les perceptions et les représentations des risques encourus.

Prévention des comportements suicidaires. – Les adolescents qui ont un jour tenté de se suicider se caractérisent par une bonne intégration sociale et une multiconsultation du monde médical, dans et hors l'institution scolaire.

Les tentatives de suicide seraient le fait de 8,7 % des garçons et 19 % des filles. 20 % des lycéens auraient déjà fait une tentative contre 9 % des collégiens. Les troubles du comportement sont plus fréquents chez les suicidants qui sont nombreux à avoir été victimes de violences subies, physiques (36,6 %) et sexuelles (23 %). L'orientation vers un professionnel de santé (médecin scolaire, médecin généraliste ou psychiatre) est préconisée, dans 63 % des cas, par l'infirmière, à l'issue de l'entretien avec le suicidant jugé à risque. Le professionnel choisi est majoritairement le psychiatre (84 %). En abordant le sujet du suicide entre l'élève et l'infirmière, on améliore considérablement la perception du risque, du côté soignant (pour les trois quarts des suicidants). D'où l'importance d'aller au-delà de la simple écoute. La majorité des tentatives de suicide reste sans suivi psychothérapeutique, ce qui expliquerait le fort taux de récidives.

Les structures de prévention. – Au Québec, des structures de prévention exercent une activité depuis une quinzaine d'années et proposent plusieurs services tels qu'une assistance téléphonique qui fonctionne 24 heures sur 24 et 7 jours sur 7, une aide aux tiers, un recours pour ceux qui portent le deuil d'un suicidé, un soutien aux veufs de plus de 65 ans et un service d'interventions diverses en milieu scolaire.

En France, il n'existait pas de structure hospitalière spécialisée pour adolescents suicidaires. Mais un projet s'est concrétisé d'abord à Bordeaux, puis à Rouffach dans le département du Haut-Rhin. À Colmar et à Mulhouse, Rémi Badoc, fondateur de SEPIA, anime, depuis 1992, ce centre de prévention. Les objectifs de cette association sont de sensibiliser et d'informer les personnels de l'éducation nationale et les parents sur les dangers encourus, d'apprendre à dépister les élèves en crise et à intervenir auprès d'eux, de plébisciter le travail d'équipe afin d'éviter des interventions d'assistance individuelle.

SEPIA préconise la postvention, une action spécifique qui se situe après la tentative de suicide et qui permet d'assurer un suivi et de dépister tout risque de nouvel accident.

Chapitre II

L'INSTITUTION SCOLAIRE
FACE AUX VIOLENCES

Devant l'impuissance à gérer les violences dues en partie à une double incompréhension dans la relation pédagogique, des relations claires et admises par tous sont devenues indispensables pour donner aux équipes et aux établissements, par la diversification des réponses, les moyens nécessaires.

I. – Les enseignants

1. **La formation.** – La formation initiale et continue occupe, en France et dans les pays développés, une place primordiale. Le métier d'enseignant nécessite une formation permanente afin de permettre une adaptation à l'évolution des publics scolaires, des technologies, des contenus scientifiques...

La formation initiale des enseignants se fait depuis 1990 dans les IUFM (Institut universitaire de formation des maîtres). Les étudiants qui préparent les concours de recrutement de la fonction publique, doivent accomplir, au cours de la première année, un stage de pratique accompagné de trente heures dans un établissement scolaire. À l'issue des concours, ils doivent effectuer un stage en responsabilité. À la fin de l'année scolaire, après remise d'un mémoire professionnel, ils peuvent être proposés en vue d'une titularisation. La première difficulté du métier d'enseignant est le profond décalage existant entre le savoir dispensé dans les universités et le contenu des programmes, la seconde étant la méconnaissance des publics scolaires, particulièrement en zones sensibles. Les formations professionnelles en matière de violence sont plus importantes dans les établissements classés sensibles ou en ZEP. L'objectif est d'aider les futurs enseignants confrontés à des phénomènes de violence à réagir en leur donnant des outils de remédiation et de compréhension. La formation passe souvent par une connaissance des élèves et des milieux socio-économiques.

Les trois objectifs des formations autour de la violence sont d'apprendre :

– le travail en équipe ;
– l'observation et l'analyse des situations concrètes ;
– l'autocritique de sa pratique professionnelle et personnelle, apprendre à se connaître.

Ainsi, au terme de cette seconde année de formation en IUFM, le futur enseignant a une mission d'ordre civique et doit s'attacher à transmettre les valeurs de la République, notamment l'idéal laïque qui exclut toute discrimination de sexe, de culture ou de religion. Il doit préparer les élèves au plein exercice de la citoyenneté.

Au sein du système éducatif, il doit pouvoir dialoguer avec les familles mais aussi travailler en partenariat avec d'autres services de l'État (culture, jeunesse et sports, santé, justice, gendarmerie, police...), des collectivités territoriales et des pays étrangers, des entreprises, des associations et des organismes culturels, artistiques et scientifiques divers. Il doit poursuivre sa formation afin d'être informé des évolutions du système éducatif et de sa discipline et adapter son action aux élèves qui lui seront confiés au cours de sa carrière. L'une des grandes revendications des IUFM est de modifier les concours de recrutement des enseignants afin de prendre davantage en compte les aptitudes et les compétences des candidats dans leurs futures missions d'éducation.

Nées en 1982, les MAFPEN (Missions académiques à la formation des personnels de l'Éducation nationale), au nombre de 30, avaient pour mission d'élaborer les programmes de formation académique, de mobiliser l'ensemble des ressources et compétences pour réaliser un réseau cohérent des organismes de formation, de développer les méthodes pour permettre aux personnels de s'adapter à la diversité des publics scolaires.

Les formations autour de la violence sont devenues la préoccupation de tous les personnels de l'Éducation nationale du second degré participant à la vie de l'établissement. Organisées en établissement, elles ont tendance à occuper une place de plus en plus importante et sont négociées avec les personnels à partir des besoins exprimés par une équipe. Le renouvellement constant d'enseignants dans une académie nécessite de maintenir chaque année des formations pour les nouveaux venus.

Ces actions de formation se développent autour de plusieurs axes :

- les élèves : il s'agit de faire prendre conscience aux enseignants de l'écart socioculturel existant ;
- le personnel éducatif qui expose les problèmes rencontrés ;
- les personnels : l'analyse du phénomène de violence est approfondie ;
- les situations de crise : des réponses pédagogiques ou éducatives et en partenariat sont proposées.

La présence des principaux partenaires du système éducatif (justice, police...), durant ces formations, a pour but de permettre d'apporter une réponse appropriée sur l'attitude à adopter.

Afin de permettre de créer un grand service de la formation, le ministre de l'Éducation a décidé d'abroger, par un arrêté du 23 juillet 1998, les MAFPEN et de confier la formation continue et initiale aux IUFM. Il apparaît que la formation continue des enseignants doit être privilégiée et qu'elle ne doit pas être théorique afin de permettre aux enseignants de s'adapter.

2. **Le malaise des enseignants.** – Les plus jeunes enseignants sont particulièrement déstabilisés. Dans les zones difficiles, huit enseignants sur dix changent de poste chaque année car ils doivent faire face à une dégradation de leurs conditions de travail, à un manque de réceptivité des élèves et ont parfois un sentiment latent d'insécurité.

Les conclusions des travaux d'É. Debarbieux révèlent que la classe elle-même est devenue un lieu de violence. 5 % des enseignants dénonçaient l'agressivité dont ils étaient victimes en 1996. En 1998, ils sont 37 %.

Au-delà des phénomènes d'indiscipline souvent imputés au chahut de quelques élèves perturbateurs, ce sont les faits de violence qui pré ou prou occupent le plus. 21 % des enseignants estiment que des actes graves de violence se sont produits au sein de leur école.

Ces faits qui se produisent plus fréquemment au niveau élémentaire ne sont pas exclus des cours de récréation ou des classes des écoles maternelles. Cette violence consiste principalement en bagarres et coups entre élèves, en agressivité, menaces, en violences verbales plus que physiques.

II. – Les chefs d'établissement

Il convient de souligner l'importance du dynamisme, de la conscience professionnelle, de l'ambition et du charisme du chef d'établissement. Dans les établissements difficiles, il constitue un relais indispensable de la politique éducative en matière de prévention des conduites à risque. Il doit : insuffler l'esprit d'équipe entre les professeurs, impulser la coopération entre professeurs et autres personnels affectés à l'établissement, entre l'établissement et les divers acteurs et partenaires de l'Éducation nationale. Au sein du système éducatif, le chef d'établissement est un acteur privilégié de la vie scolaire. Ses fonctions sont multiples et peuvent se structurer autour de trois grands thèmes qui sont l'éducation et la pédagogie, le domaine administratif, juridique et financier, et le « management ». Il doit veiller à faire respecter la légalité républicaine au sein de son établissement et est le garant de la cohérence d'un projet pédagogique et éducatif ainsi que des règles de vie de l'établissement.

Dans chaque académie, la formation des personnels de direction est organisée sous la responsabilité du recteur, en conformité avec la Charte nationale. La formation initiale des chefs d'établissement autour de la violence semble être une priorité dans de nombreuses académies. Il existe une formation d'accompagnement lors de la première année de délégation à travers deux modules obligatoires qui s'intitulent : « conduire une politique de prévention et de lutte contre la violence » et « mettre en œuvre le contrat éducatif dans un EPLE » (Établissement public local d'enseignement).

III. – Les autres acteurs

1. **Les personnels non enseignants de l'Éducation nationale.** – Au sein d'un établissement, il existe des personnels non enseignants qui sont en charge de l'encadrement, de l'orientation, de l'écoute des élèves.

– *Les conseillers principaux d'éducation (CPE).* Le nombre de CPE, recrutés sur concours, varie suivant la taille et la situation de l'établissement. Ils s'occupent de plusieurs classes et sont en contact avec l'administration, les professeurs, les élèves, l'assistante sociale, l'infirmière et les parents d'élèves. Ils ont des fonctions d'animation, d'encadrement mais aussi administratives. Leur première tâche est la gestion des absences. Dans certains établissements sensibles, le relevé des absences s'effectue heure par heure. Ce travail indispensable afin de repérer les conduites déviantes détourne les CPE d'un véritable travail de terrain. Ceux-ci peuvent aussi gérer selon les établissements, l'organisation du baccalauréat, et l'inscription des élèves. Ils doivent faire preuve de fermeté mais aussi être en mesure de dialoguer avec les élèves, afin de repérer les situations difficiles. Ils gèrent les problèmes de violence et luttent contre la présence d'éléments extérieurs à l'établissement. Les CPE s'occupent de l'élection et de la formation des délégués de classe auxquels ils expliquent leur rôle important au sein de l'établissement.

– *Les surveillants.* Ils sont nommés au maximum pour une période de sept ans, au cours de laquelle ils doivent justifier d'une activité d'étudiant. Ils s'occupent de tâches administratives et de surveillances. De nombreux chefs d'établissement déplorent le recrutement aléatoire de ces personnels qui souvent ont le même âge que les élèves et manquent totalement de formation dans la gestion de situations conflictuelles. Certains surveillants parviennent à nouer des liens privilégiés avec des élèves difficiles en s'impliquant totalement dans la vie de l'établissement.

– *Les aides-éducateurs.* En septembre 1997, Martine Aubry, ministre de l'Emploi et de la Solidarité, fixe comme objectif la création de 150 000 emplois-jeunes à la fin de 1998 et 350 000 à la fin de l'an 2000.

Après la disparition de la conscription nationale, de nombreux établissements craignent d'être confrontés à d'importantes difficultés et l'Éducation nationale se lance dans le recrutement d'aides-éducateurs, âgés de 18 à 26 ans, titulaires du baccalauréat, rémunérés au SMIC avec un contrat de travail d'une durée maximale de soixante mois. Plus de 30 000 personnes sont recrutées soit près de 70 % des emplois-jeunes créés. Certaines académies comme Créteil ou Versailles rencontrent toutefois des difficultés et l'arrivée de ces aides-éducateurs dans les établissements suscite quelque inquiétude de la part des enseignants car leurs attributions ne sont pas spécifiées. Certains réalisent de l'animation culturelle et sportive, d'autres, du soutien scolaire... Dans quelques établissements, ils sont affectés à des tâches de surveillance.

En janvier 2003, Luc Ferry, ministre de la Jeunesse, de l'Éducation nationale et de la Recherche, et Xavier Darcos, ministre délégué à l'Enseignement scolaire, présentent leur définition des assistants d'éducation. Deux dispositifs coexistaient : les MI-SE (maîtres d'internat et surveillants d'internat), les anciens « pions » et les aides éducateurs (emplois-jeunes). La coexistence de deux statuts posait des problèmes car les MI-SE relevaient du droit public et étaient recrutés par les rectorats et les aides-éducateurs relevaient du droit privé et étaient recrutés par les établissements. Les MI-SE connaissaient des conditions d'exercice de missions, de réussite et d'insertion professionnelle insuffisantes et les emplois-jeunes n'avaient pas suivi de formation, alors que leur implication dans le suivi scolaire, la maintenance informatique, la surveillance de cantines l'aurait nécessité. Un nouveau statut d'assistants d'éducation est créé. 16 000 postes sont prévus dès la rentrée 2003-2004 (10 000 dans le primaire et 6 000 dans les collèges et lycées). Ce dispositif, ouvert en priorité aux étudiants, se substitue progressivement aux MI-SE et aux aides-éducateurs. Les assistants d'éducation sont recrutés directement par les établissements, bénéficient d'un statut de droit public (contrat de trois ans renouvelable une fois), ont des fonctions plus variées et peuvent plus facilement poursuivre leurs études.

À la rentrée 2003-2004, 82 000 jeunes adultes (assistants d'éducation, aides-éducateurs et MI-SE) assureront des tâches d'encadrement et d'assistance pédagogique. Les 5 600 postes de MI-SE, qui disparaîtront à la rentrée, seront remplacés par les 6 000 assistants d'éducation. Les collectivités locales pourront compléter le recrutement de cette catégorie de personnel.

– *Les conseillers d'orientation psychologues (COP).* Ils jouent un rôle important car ils préparent l'orientation des élèves. La plupart des chefs d'établissement signalent que le nombre des COP est insuffisant, ces derniers étant souvent en activité dans plusieurs établissements.

– *Les psychologues.* La mission des psychologues scolaires donne peu de place aux entretiens avec les familles (circulaire du 10 avril 1990 du ministère de l'Éducation nationale). Le suivi psychologique est néanmoins présent : « Il consiste à organiser des entretiens avec les enfants concernés et éventuellement avec leur maître ou leurs parents. Il a pour objet de rechercher conjointement l'ajustement des conduites et des comportements éducatifs (...). Dans les cas où la mise en œuvre d'une prise en charge spécialisée paraît souhaitable, le psychologue scolaire conseille aux familles la consultation d'un service ou d'un spécialiste extérieurs à l'école. »

En 2003, 500 postes sont vacants et, en 2007, un tiers des 3 200 psychologues scolaires sera à la retraite. Ceux-ci exercent dans les écoles maternelles et primaires publiques (1 pour 1 800 élèves). Dans les collèges et les lycées, ce rôle est tenu par les 4 000 conseillers d'orientation psychologues (COPSY), soit un pour 1 000 élèves.

2. **Le personnel médical et social.** – La Loi d'orientation du 10 juillet 1989 rappelle la nécessité de développer la médecine scolaire en favorisant les actions médico-sociales et l'éducation pour la santé ; elle insiste sur le dépistage des handicaps, la formation des élèves autour de ce thème, en focalisant notamment sur la consommation de produits nocifs. Les médecins recrutés par l'Éducation nationale sont souvent des généralistes qui reçoivent un complément de formation. Dans les lycées, ils interviennent à la demande de l'établissement. Beaucoup déplorent que la médecine scolaire soit peu connue et que, dans les IUFM, le module « éducation pour la santé » reste facultatif.

– *Les assistantes sociales.* Elles sont de plus en plus sollicitées surtout en zones sensibles. En Seine Saint-Denis, elles sont censées ne pas travailler sur plus de deux établissements, ni être chargées d'une population supérieure à 1 500 élèves. Ce département comptait, pour l'année scolaire 1996-1997, 68 assistantes sociales pour 121 660 élèves dans l'enseignement secondaire, dont 29 427 en ZEP et établissements sensibles. Elles doivent gérer les problèmes d'absentéisme, les difficultés familiales et l'enfance en danger. Elles travaillent en étroite collaboration avec le reste de l'équipe éducative. Dans son rapport sur les ZEP, Mme Moisan[1] montre que les personnels médicaux et sociaux sont très souvent débordés face à l'ampleur de leur tâche. De nombreuses assistantes sociales signalent le manque d'internats pour les cas les plus difficiles. Le

1. Rapport de l'IGEN, rédigé par Catherine Moisan, « Les déterminants de la réussite scolaire en zone d'éducation prioritaire », septembre 1997.

BO n° 12 du 19 mars 1998 réaffirme les objectifs du fonds social collégien et du fonds social lycéen qui permet depuis 1991 d'aider les familles en contribuant aux frais de scolarité et de vie scolaire.

– *Les infirmières.* Elles sont habilitées à accomplir les actes ou soins sur prescription médicale et ont un rôle de conseiller en matière de prévention, d'éducation à la santé, d'hygiène et de sécurité auprès des directeurs et chefs d'établissement. Elles accueillent tout élève qui le désire, posent un diagnostic infirmier et orientent. Elles ont une tâche de dépistage et de relais avec le médecin en matière de santé mentale. Elles assurent un suivi et un accompagnement individuels, établissent les relais nécessaires au sein de l'établissement, en étroite relation avec les parents et les professionnels de santé. Elles mènent une action éducative pour le respect de l'autre et en matière de sexualité.

Les infirmières éducatrices de santé souhaitent s'investir davantage dans la prévention des conduites à risque et notamment des suicides. L'infirmerie est l'un des endroits privilégiés où l'élève se sent en confiance et peut exprimer son mal-être, ses frustrations, ses revendications. Il conviendrait d'inclure, comme dans les anciens comités d'environnement social, les infirmières au nombre des conseillers techniques et décideurs à part entière.

IV. – La santé scolaire

La santé des élèves est un défi pour l'école (circulaire du 25 avril 2002 du ministère de l'Éducation nationale). Son incidence sur les apprentissages et la réussite scolaire, sur l'éducation au respect de soi et des autres, sur la formation du futur citoyen et adulte, son rôle en matière de réduction des inégalités et de prévention des violences sont essentiels.

Trois principes guident actuellement la politique de santé à l'école : l'association des familles à la définition et à la mise en œuvre des projets, la prise en compte de la politique de santé dans les projets d'école et d'établissement et le développement des partenariats extérieurs à l'école. Le service de santé scolaire, puis de promotion de la santé en faveur des élèves, a été créé en 1945 au ministère de l'Éducation nationale et transféré en 1964 au ministère de la Santé. Maintenu dans le cadre de la fonction publique de l'État après les lois de décentralisation de 1982, il est rattaché au ministère de l'Éducation nationale depuis 1991.

Sous la tutelle du ministère de la Santé et des DASS, les médecins scolaires étaient considérés comme des prestataires de service. Au sein du ministère de l'Éducation nationale, leur action se concrétise par une plus grande efficacité et la reconnaissance d'un rôle de conseiller technique en matière de santé. Cela est permis par une formation spécifique en santé publique et communautaire, en éducation à la santé et en méthodologie de projet, en psychopathologie de l'enfant et de l'adolescent, mais les moyens mis à la disposition ne permettent pas aux médecins scolaires de réaliser pleinement leurs missions.

Les besoins actuels sont de 1 médecin scolaire pour 3 000 élèves. Les normes en prévoient 1 pour 5 000, la réalité est de 1 pour 7 000 élèves.

Le 28 février 2003, le gouvernement Raffarin annonce le transfert de la médecine scolaire aux départements dès 2004. Ceux-ci, compétents en matière de protection maternelle et infantile (PMI) et d'action sociale, auraient la responsabilité de la médecine scolaire et du service social scolaire. Les infirmières assurant l'éducation à la santé ne feraient pas l'objet d'un transfert.

Une vingtaine de départements auraient souhaité le transfert de la médecine scolaire.

Ces mesures soulèvent l'indignation des syndicats des professions concernées voyant un démantèlement de la médecine scolaire, affaiblissant le service public d'éducation et aggravant les inégalités entre départements.

– *Carrière des médecins : horizon limité.* Les médecins recrutés par l'Éducation nationale bénéficient d'une année de formation spécialisée à l'école de santé de Rennes. Les médecins ont certaines réticences à rejoindre le corps de la médecine scolaire au sein de l'Éducation nationale mais le concours est devenu plus attractif. Les candidats reçus sont nommés médecins stagiaires par arrêté du ministre et titularisés après avoir accompli un stage d'un an au cours duquel ils complètent leur formation.

– *Les programmes d'éducation à la santé dans les IUFM et dans les centres de formation continue.* Le module « éducation pour la santé » est enseigné un trimestre en deuxième année d'IUFM et il est facultatif. Le médecin scolaire apparaît comme le conseiller technique pour toutes les questions d'ordre préventif ou sanitaire et est consulté dans le cadre des réunions du comité d'éducation à la santé et à la citoyenneté

– *Le rôle du médecin scolaire : réalités et besoins.* Outre son rôle de référent santé auprès des inspec-

53

teurs de l'éducation nationale, des chefs d'établissement et enseignants de son secteur d'intervention, le médecin scolaire effectue des bilans de santé afin de dépister les difficultés médicales, psychologiques, sociales susceptibles d'entraver la progression scolaire des jeunes. Il est tenu d'informer les familles des moyens de remédier aux troubles constatés. Dans le cadre des examens à la demande se situent le suivi des élèves en difficulté, de ceux qui sont inaptes à la pratique de l'éducation physique, et l'aide à l'intégration des enfants handicapés. La circulaire n° 91-148 du 24 juin 1991 relative aux « missions et fonctionnement du service de promotion de la santé en faveur des élèves » précise aussi la responsabilité des médecins scolaires en matière d'ateliers techniques, d'installations sportives, ou sanitaires des internats, les restaurants des enfants (locaux, équilibre des menus, règles d'hygiène des personnels de la restauration) mais le non-suivi de ces attributions est fortement lié aux effectifs.

Le médecin scolaire est tenu « d'établir des relations avec les différents médecins hospitaliers, centres de santé, de planification, la médecine libérale, les spécialistes de l'intersecteur de psychiatrie infantojuvénile et toute personne ayant des responsabilités auprès des jeunes (juges des enfants, maires, élus responsables en matière de santé, associations de parents, services d'aide sociale à l'enfance, etc.) ».

– *Pour un nouveau partenariat Protection maternelle infantile / écoles maternelles.* Les résultats d'un groupe de travail sur les bilans dans les écoles maternelles du Haut-Rhin sont intéressants. Les dépistages sensoriels des troubles du comportement et du langage en sont la base. Des orientations claires ont pu être définies comportant six axes :

– assurer le dépistage des troubles les plus fréquents ;
– repérer les enfants en grande difficulté le plus tôt possible ;
– éviter d'alarmer les parents avec de faux problèmes ;
– mettre tous les moyens au service de ceux qui en ont le plus besoin ;
– mieux répartir le temps de travail ;
– développer le partenariat avec toutes les écoles.

Le bilan d'une école maternelle doit comporter un dépistage des anomalies sensorielles et l'observation du développement et du comportement de l'enfant pour tous en première année de maternelle. Un entretien entre le personnel de PMI et les enseignants doit, à cette occasion, permettre le repérage des enfants ayant des difficultés d'adaptation et/ou des retards psychomoteurs.

Il est important de proposer une prévention primaire consistant à intervenir avant l'apparition du processus pathologique et d'offrir un lieu de parole aux parents.

Les parents vivant en zone rurale rencontrent difficilement l'équipe de PMI en consultation de nourrissons. Le partenariat PMI/écoles permet d'aborder plus facilement les difficultés des enfants avec les parents qui ne maîtrisent parfois pas suffisamment la langue française. Une concertation entre enseignants et responsables de la PMI est indispensable afin de mieux faire connaître ce service.

– *L'éducation à la santé et à la sexualité.* L'école est de plus en plus sollicitée sur des problèmes de société et de santé et est fortement impliquée dans les campagnes nationales de santé publique. La loi du 4 juillet 2001 confère à l'Éducation nationale l'obligation de généraliser sur l'ensemble du cursus scolaire au moins trois séances par an d'information et d'éducation à la sexualité dans les écoles, collèges et lycées.

– *L'Observatoire de l'enfance et de l'adolescence.* Cette instance de réflexion et de proposition centralise les données sur le mode de vie des enfants et des adolescents, expertise les actions et les recherches, améliore la cohérence des actions de prévention, informe et forme les acteurs du système éducatif.

– *Le projet académique de santé des élèves.* Chaque recteur doit définir les objectifs et axes de son projet académique à partir des caractéristiques et des besoins en matière de santé des élèves.

– *Le projet d'école et d'établissement.* La politique de santé en faveur des élèves doit être fondée à la fois sur les enseignements, les activités éducatives, les dispositifs spécifiques – tels que les comités d'éducation à la santé et à la citoyenneté – mais aussi toutes les circonstances de la vie scolaire. Chaque établissement intègre dans son projet les objectifs et actions concernant la santé des élèves. C'est l'objet d'une démarche concertée avec l'ensemble de la communauté éducative : personnels d'enseignement, d'éducation, ATOS, de santé et sociaux... présentée au conseil d'école, au conseil d'administration et, pour les lycées, au conseil de la vie lycéenne.

– *La formation des personnels.* Il existe un besoin et une nécessité de renforcer les compétences spécifiques des personnels médicaux, infirmiers et sociaux, dans leur professionnalité et leurs capacités à travailler en équipe, selon les axes définis au niveau national.

– *Le renforcement des partenariats.* Des programmes régionaux de santé ainsi que des programmes régionaux d'accès à la prévention et aux soins pour les personnes en situation de précarité (PRAPS) intègrent les actions d'éducation pour la santé en faveur des jeunes. Des schémas régionaux d'éducation pour la santé (SREPS) ont été élaborés et il convient de renforcer les dispositifs particuliers développés par certains départements dans le cadre du suivi effectif du bilan de santé réalisé lors de la visite médicale obligatoire de la sixième année de l'enfant. Ces dispositifs s'appuient sur un partenariat entre la mission de promotion de la santé et l'action sociale en faveur des élèves, les professionnels du réseau de soins, les collectivités locales, les caisses d'assurance maladie ou les associations. Dans le cadre de la prévention des souffrances psychiques, le développement d'un partenariat entre les professionnels de l'éducation nationale et les services de psychiatrie infanto-juvéniles afin d'améliorer la prise en charge des besoins des enfants et adolescents est indispensable.

– *L'intégration des handicapés.* Les nouvelles mesures présentées le 21 janvier 2003 par le ministre de l'Éducation nationale concernent l'insertion des élèves du second degré. En 2001-2002, on comptait plus de 76 000 élèves dans le premier degré (dont plus de 48 000 scolarisés dans des classes d'intégration scolaire) et 20 000 élèves dans le second degré (dont 2 800 dans les unités pédagogiques d'intégration).

Le ministère prévoit que plus de 10 000 adolescents

handicapés supplémentaires fréquentent les UPI[1] des établissements scolaires. Le ministre prévoit également un effort en direction des élèves dont l'état de santé ou le handicap ne permet pas durablement de fréquenter l'école au moyen d'une formation scolaire au sein des établissements médico-sociaux et sanitaires. En 2002, 5 900 élèves ont bénéficié de cette aide et l'objectif serait d'accueillir 7 000 élèves dès 2003.

Des projets d'accueil individualisé (PAI) permettant une scolarité aménagée dans les établissements devraient être mis en œuvre.

– *La santé des jeunes.* La médecine des adolescents n'a pas de véritable statut en France, bien que les 12-16 ans nécessitent des soins spécifiques. Certains hôpitaux, comme le service de médecine pour adolescents de Bicêtre, au Kremlin-Bicêtre, ou l'unité pour adolescents en crise du CHS de Rouffach (Haut-Rhin), ont créé des antennes de soins et de soutien au mal-être des adolescents.

Pour prévenir la violence, le Pr Marcel Rufo, pédopsychiatre à Marseille, préconise « d'anticiper dès la scolarisation précoce : haltes garderies, crèches et écoles maternelles, de la repérer pour ne pas la laisser s'organiser chez l'enfant comme une réponse troublée au monde qui l'entoure ». Plus tard, à l'entrée au collège, il faudra réunir les acteurs d'accompagnement et du développement de la petite enfance, avec ceux représentant la deuxième chance, au début de la scolarité secondaire. « En somme un pont entre maternelle et collège serait nécessaire. » Il évoque sa possibilité par le biais de l'établissement d'un carnet du compor-

1. Unités pédagogiques d'intégration.

tement qui pourrait suivre l'élève de la maternelle au lycée et servir d'élément pondérateur au moment des passages en classe supérieure ou lors de défaillances imprévues.

Ce carnet pourrait être un outil supplémentaire pour l'éducation au civisme et à la citoyenneté.

– *Le dépistage des troubles de l'apprentissage.* Le progrès des connaissances sur le développement psychomoteur et sensoriel impose aux médecins – scolaires et libéraux – de détecter dès que possible les troubles de l'apprentissage. Le dépistage doit favoriser une prise en charge spécifique et efficace. Les enseignants pourraient induire ce dépistage par leurs observations sur un carnet du comportement. Afin d'appréhender la dimension psychologique de la dynamique de l'apprentissage comme de l'échec scolaire qui est l'une des principales causes de la violence chez les adolescents, il est nécessaire d'évoquer les toutes premières origines du « penser » et du désir de savoir. La soif d'information s'installe, en général, chez les 6-12 ans. Les entraves à cette curiosité préparent insidieusement des situations d'échec scolaire pendant l'école primaire qui se manifestent au grand jour dès l'adolescence ou juste avant.

Face à un échec scolaire, le généraliste ou le pédiatre doit détecter le déficit, en préciser la cause, définir une stratégie de prise en charge et assurer le suivi. Le dépistage doit participer à un réseau : la médecine scolaire informe le généraliste ou le pédiatre traitant l'enfant ; ces derniers communiquent leurs informations au médecin scolaire. Le carnet de santé revêt un caractère obligatoire pour établir un nécessaire trait d'union entre les corps médicaux concernés. Plusieurs bilans de santé sont recommandés par la circulaire n° 91-148 du 24 juin 1991, relative aux « missions et fonctionnement du service de promotion de la santé en faveur des élèves », à l'entrée au collège ou dans le cadre de la procédure d'orientation à l'issue de la scolarité au collège ou à la demande qui peut émaner soit des parents, de l'élève, du médecin, de l'infirmière, de l'assistante sociale ou de tout autre membre de l'équipe éducative. Il est souhaitable de développer les « clubs santé » dans les écoles, les jeunes considérant leurs responsables comme des interlocuteurs privilégiés.

– *Les troubles de l'apprentissage du langage.* « La définition, la classification, la nature voire l'existence de troubles de l'apprentissage du langage sont parmi les sujets les plus controversés du développement de l'enfant », écrivait Jean-Charles Ringard, dans un rapport remis en 2000 à Ségolène Royal, alors ministre déléguée à l'enseignement scolaire. Les propositions contenues dans ce rapport s'orientent autour de cinq thèmes : développer dès l'école maternelle des actions de prévention et de repérage, favoriser le dépistage précoce d'enfants potentiellement atteints d'un trouble du langage oral ou écrit, améliorer la prise en charge des enfants mais aussi des adolescents, intensifier la formation des personnels de manière pluricatégorielle et pluridisciplinaire, en formation initiale et continue, renforcer le partenariat institutionnel santé - Éducation nationale.

L'école étant le seul lieu où puisse être organisé un dépistage systématique et préventif, un bilan est pratiqué par la médecine scolaire sur les enfants de 6 ans. L'instituteur ou le directeur peut alors s'adresser au

Réseau d'aide spécialisée aux élèves en difficulté (RASED) dont relève l'établissement. Mais ces réseaux ne disposent que rarement de professionnels de santé spécialisés dans les troubles du langage qui peuvent se révéler un véritable handicap pour l'enfant et son devenir. Spécialiste de la dyslexie et des troubles de l'apprentissage, Lucien Castagnéra, médecin à Bordeaux, constate : « Des enfants d'intelligence normale ou supérieure sont en situation d'échec scolaire faute d'avoir fait l'objet d'un diagnostic et d'un traitement appropriés. »

En mars 2001, le gouvernement lance un plan d'action et propose une série de mesures permettant de faciliter la prévention des troubles du langage, d'établir un diagnostic rapide et sûr et d'assurer une prise en charge efficace. Un rapport de l'Inspection générale des affaires sociales et de l'Éducation nationale daté de janvier 2002, souligne la détection souvent tardive et le dépistage peu organisé de la dyslexie. Une approche trop psychologique est dénoncée.

Pour Alain Bentolila, linguiste et conseiller scientifique de l'Observatoire national de la lecture, « le pouvoir linguistique permet de parler juste, de lire juste et de regarder justement le monde ». Il est nécessaire de commencer par bâtir la formation des maîtres en IUFM, afin que l'école puisse véritablement jouer son rôle éducatif et social dans la lutte contre l'illettrisme.

– *Les vulnérabilités comportementales et psychiques des élèves en difficulté.* L'anxiété de performance est un état émotionnel désagréable induit par des situations telles que parler en public, jouer d'un instrument de musique, se soumettre à une épreuve sportive, être observé lors d'une tâche d'habileté, passer des examens... Ces conditions gênent le niveau de performance et limitent les capacités du sujet. La peur de ne pas accomplir des actes en conformité avec les exigences de perfection provoque tension, stress et évitement.

– *La peur sociale.* Elle apparaît à la fin de l'enfance ou au début de l'adolescence. Le jeune refuse les invitations et restreint sa vie sociale. Les troubles somatiques sont fréquents. L'anxiété peut être généralisée. Elle correspond à une crainte excessive face à l'intégration dans des groupes sociaux.

– *Les troubles du comportement.* Ces troubles créent des problèmes relationnels et d'apprentissage. L'hyperactivité constitue l'une des principales causes de consultation pour troubles de comportement chez l'enfant. L'activité déployée est importante, désordonnée et inefficace.

Une étude parue dans le *Quotidien du médecin* du 22 février 1999, estime à 400 000 le nombre d'enfants surdoués en France en âge de scolarité (de 6 à 16 ans), soit 4 % de la population. Ces enfants « précoces » suivent un cursus scolaire parfois chaotique et peuvent développer des mécanismes conduisant à l'échec scolaire.

V. – **La vie de l'établissement**

1. **Le rôle du projet d'établissement.** – Tous les établissements scolaires doivent être dotés d'un projet d'établissement. La circulaire n° 82-230 du 2 juin 1982 définit, parmi d'autres, deux objectifs : instaurer dans les établissements « un climat de communauté scolaire » et mettre en place « un projet d'établissement ».

La Loi d'orientation sur l'éducation du 10 juillet 1989 (loi n° 89-486) rappelait dans son article 18 que « les écoles, les collèges, les lycées d'enseignement général et technologique et les lycées professionnels élaborent un projet d'établissement ». Il s'agit d' « un ensemble cohérent de moyens et de méthodes que l'établissement se donne pour atteindre des objectifs nationaux en intégrant les données de son histoire, de son environnement, les contraintes qu'il subit et les atouts dont il dispose ». Il permet à l'ensemble de l'équipe éducative de réfléchir sur un projet commun où chacun peut intervenir et constitue une réponse à des problèmes connus en permettant à l'établissement d'y remédier. Des objectifs précis doivent être fixés lors de sa rédaction. À titre d'exemple, le lycée Amélie-Zurcher de Wittelsheim (68) dans l'académie de Strasbourg s'est fixé trois axes prioritaires. Le lycée doit devenir :

- lieu d'acquisition des savoirs et des savoir-faire (il faut rendre l'élève responsable) ;
- lieu de culture où l'élève se développe et s'épanouit (il faut rendre l'élève autonome) ;
- acteur du développement local.

Les effets attendus de ce projet, sont de :

- faire du lycée un lieu où l'élève se forme, s'instruit, se cultive et se prépare à la citoyenneté ;
- susciter une mobilisation plus forte des partenaires que sont les parents d'élèves, les collectivités locales et les milieux professionnels ;
- inscrire fortement l'établissement scolaire dans un environnement social, économique et culturel...

D'après de nombreux chefs d'établissement, le point faible de tous les projets réside dans l'évaluation ainsi que dans la mobilisation de l'ensemble des partenaires. La circulaire de rentrée 1999 (*BOEN* du 7 janvier 1999) a permis de relancer le projet d'établissement en associant les personnels de l'Éducation nationale, les élèves et les parents.

2. **L'action éducative.** – L'action éducative et civique passe par la connaissance du règlement intérieur. Dès la rentrée scolaire, il fait l'objet d'une lecture attentive et d'un commentaire du CPE, mais aussi du professeur principal. Il s'agit de présenter les droits mais aussi les devoirs des élèves au sein de l'établissement. Les élèves doivent pouvoir s'exprimer librement et s'interroger sur tel ou tel thème comme la laïcité. Tous les élèves sont tenus de signer individuellement leur adhésion au contenu de ce règlement.

3. **Les moyens à la disposition des enseignants.**
– *Le conseil de discipline.* Face à des fautes d'une gravité exceptionnelle, le chef d'établissement peut convoquer un conseil de discipline afin d'exclure définitivement un élève. Très souvent, le problème ne faisait que se déplacer puisque l'élève renvoyé était « transféré » dans un autre établissement où, souvent, il recommençait à commettre des exactions similaires. Afin d'éviter ce genre de situation, l'institution a su évoluer ; le discours du tout répressif semble avoir fait son temps. Il existe désormais des mesures alternatives au conseil de discipline dans les établissements (*BOEN* du 3 avril 1997) : privilégier la proximité avec l'élève en développant le dialogue. Celui-ci doit s'engager à

respecter des « objectifs précis et évaluables en termes de comportement et de travail scolaire ». La plupart des chefs d'établissement reconnaissent qu'une telle formule donne une certaine souplesse au fonctionnement de la vie scolaire. Elle permet à l'élève de réintégrer normalement le cursus scolaire sans rupture brutale.

Le *BOEN* de juillet 2000 a provoqué de vives réactions chez les enseignants, révélatrices d'inquiétudes quant à la non-reconnaissance de leur rôle au sein de l'institution.

La sanction est proportionnelle aux faits reprochés, mais le comportement général de l'élève peut être pris en considération ; c'est-à-dire que des faits antérieurs peuvent être évoqués pendant le conseil de discipline.

– *L'exclusion d'un cours.* L'enseignant a le droit d'exclure de son cours un élève qui perturbe la classe à condition qu'un dispositif soit prévu pour sa prise en charge dans le règlement intérieur ; cette mesure est souvent inapplicable, faute de moyens ou de bonne volonté.

– *Le foyer socio-éducatif.* Le foyer socio-éducatif est une association. Le *BOEN* n° 39 du 31 octobre 1996 rappelle aux chefs d'établissement que les élèves doivent participer à sa gestion et à son animation. Cette action doit s'inscrire dans le projet d'éducation à la citoyenneté. Le FSE doit être une structure dynamique à l'intérieur du lycée afin de modifier les relations entre les adultes et élèves en renforçant l'esprit de coopération dans la classe et dans l'établissement.

VI. – **Rôle et place des structures externes**

La Loi d'orientation du 10 juillet 1989 insiste sur la nécessité d'ouvrir l'école à ses multiples partenaires : les collectivités locales, les entreprises, les associations locales, les associations de parents d'élèves... Depuis la décentralisation, les lycées sont gérés par les régions tandis que les conseils généraux ont à leur charge les collèges, et les communes, les écoles.

Certaines collectivités sont extrêmement dynamiques et développent une réelle politique de proximité avec les établissements. Dans la région Île-de-France, de nombreux manuels scolaires sont achetés par la région, pour les classes de lycées.

Le rapport Moisan montre que certaines municipalités refusent d'investir dans les écoles des quartiers défavorisés en laissant se développer de véritables ghettos où se concentrent tous les problèmes. Dans certains cas, les associations sont pléthoriques et parfois concurrentes alors que, dans d'autres, elles sont inexistantes. En collaboration avec les établissements, elles assurent parfois l'aide aux devoirs et un soutien scolaire. Elles peuvent permettre de dialoguer avec certains élèves qu'elles fréquentent dans un autre contexte. Au plus près du terrain, elles sont intégrées dans les cités où les animateurs proposent des activités.

Les associations de parents d'élèves sont aussi des partenaires privilégiés. La Loi d'orientation du 10 juillet 1989 rappelle que « les parents d'élèves par leurs représentants participent aux conseils d'école, aux conseils d'administration des établissements scolaires et aux conseils de classe ». La plupart des chefs d'établissement posent le problème de la représentativité des élus des parents d'élèves qui sont souvent élus avec 10 % des voix. D'autres font remarquer avec regret que, dans certaines classes, il n'y a aucun représentant des parents d'élèves.

« Il est clair que les relations entre les familles et l'école constituent un déterminant essentiel de la réussite des enfants. Lorsqu'elles se résument à l'absence, à l'impuissance exprimée des deux côtés, et à l'incompréhension parfois mêlée d'agressivité, les obstacles sont alors immenses pour les enfants » (rapport Moisan) ; ceci peut aboutir à des agressions physiques des parents contre les enseignants ; la situation devient alors extrêmement difficile. Le rapport cite des initiatives menées dans des ZEP, par des enseignants assurant l'alphabétisation de parents. Le développement des médiateurs favorise la communication avec les familles d'origine étrangère. Afin d'associer les parents, de nombreux établissements organisent une visite des locaux dès la rentrée scolaire et consacrent un samedi matin ou une soirée afin de remettre personnellement les bulletins scolaires aux parents, ce qui permet le dialogue avec l'ensemble de l'équipe éducative. Malheureusement certains parents ne se déplacent jamais dans l'établissement.

– *Les classes d'intégration scolaire (CLIS)*. Les dispositifs de l'adaptation et de l'intégration scolaires des handicapés dans le premier degré font l'objet de la circulaire n° 2002-113 du 30 avril 2002 qui remplace celle du 18 novembre 1991. La CLIS a pour mission d'accueillir de façon différenciée dans certaines écoles élémentaires ou exceptionnellement maternelles des élèves en situation de handicap afin de leur permettre de suivre totalement ou partiellement un cursus scolaire ordinaire.

L'admission en CLIS d'un élève est subordonnée à la décision de la commission d'éducation spécialisée. La situation des élèves est révisée régulièrement conformément aux dispositions de la circulaire du 22 avril 1976. L'effectif par classe est limité à 12 élèves et l'enseignant assume la responsabilité pédagogique de l'équipe éducative.

Les dispositifs d'adaptation et d'intégration scolaires constituent des ressources différentes mais complémentaires pour permettre aux écoles de scolariser tous les élèves. La mise en œuvre et l'actualisation de la politique éducative au plan départemental est du ressort de l'inspecteur d'académie, directeur des services départementaux de l'Éducation nationale, en liaison étroite avec le directeur départemental des affaires sanitaires et sociales.

– *Les ateliers relais.* Créés à la rentrée scolaire 2002, les ateliers relais constituent un des dispositifs s'appuyant sur le partenariat associatif. Les ateliers relais sont situés à l'extérieur du collège et ont pour objectif la reprise normale de la scolarité ou l'entrée dans un cycle de formation professionnelle, ainsi que la réintégration d'un élève dans un cadre de relations sociales apaisées et réglées. La durée du séjour en atelier relais ne peut excéder douze semaines et concerne les élèves de collège, éventuellement de lycée, entrés dans un processus de rejet de l'institution scolaire se traduisant par des manquements graves et répétés au règlement intérieur, un absentéisme chronique non justifié, une démotivation profonde dans les apprentissages voire une déscolarisation. Tout élève fréquentant un atelier relais reste sous statut scolaire.

– *Les classes relais.* Elles accueillent temporairement des élèves de collège dont le comportement et le niveau scolaire ne permettent plus une scolarisation normale. L'objectif est de les réinsérer dans une classe traditionnelle, après une durée de quelques semaines à un an maximum. En plus des disciplines traditionnellement enseignées au collège, les élèves bénéficient d'entretiens individualisés, stages en entreprise, travail sur la loi. La classe relais est nécessairement rattachée à un collège selon une répartition par zone ou par bassin de formation. Un bilan individualisé est établi, l'emploi du temps est personnalisé et évolutif et doit se rapprocher de celui, habituel, d'un collégien.

La définition des règles générales d'organisation des classes relais relève, dans le cadre de la politique académique définie par les recteurs, de la responsabilité des inspecteurs d'académie, en liaison avec les partenaires associés : collectivités territoriales, directions départementales de la protection judiciaire de la jeunesse. En 1999, 3 000 enfants d'une moyenne d'âge de 14 ans ont intégré ces structures. 39 % ont pu retourner dans une classe normale et 21 % ont été orientés vers une formation professionnelle. 224 classes relais ont accueilli en 2000-2001 8 000 jeunes adolescents entrés dans un processus de déscolarisation et faisant souvent l'objet de mesures judiciaires (39 % des élèves ont été admis après une mesure judiciaire, 40 % pour manquement grave et répété au règlement intérieur, indiscipline ou violence, 29 % pour absentéisme ou déscolarisation).

250 dispositifs ont fonctionné au cours de l'année 2001-2002 et il a été envisagé de les doubler sur la période 2002-2004.

– *Les internats relais.* Ils permettent l'hébergement des élèves qui connaissent des difficultés sociales ou familiales pouvant les conduire à la déscolarisation ou à la marginalisation sociale.

– *L'école ouverte.* Dès 1991, les collèges et les lycées s'ouvrent hors périodes scolaires. Les classes ouvertes proposent aux enfants et aux jeunes vivant dans des zones urbaines et rurales défavorisées un programme d'activités éducatives : scolaires, culturelles, sportives et de loisirs. L'accent est mis sur l'éducation à la citoyenneté et le soutien scolaire.

La participation à l'école ouverte ne se conçoit que sur la base du volontariat du chef d'établissement, des personnels enseignants et des membres de l'équipe éducative. Cette opération connaît un développement constant depuis 1997. En 2000, 468 établissements reçoivent près de 65 000 élèves ; en 2001, 500 établissements se sont portés candidats pour 2 500 semaines d'ouverture dans 28 académies. Cette initiative nécessite des moyens importants : en 2001, les crédits consacrés à l'école ouverte se sont élevés à 37,1 MF du ministère de l'Éducation nationale, 4,5 MF du ministère de l'Emploi et de la Solidarité, 2 MF du Fonds d'action sociale en faveur des travailleurs immigrés et de leurs familles (FAS), 12,5 MF de la Délégation interministérielle à la Ville.

Chapitre III

LE RENFORCEMENT DES PARTENARIATS :
LA NÉCESSITÉ D'UNE COOPÉRATION

I. – Les conventions

L'Éducation nationale formalise son partenariat avec la police, les municipalités et la justice au moyen de conventions qui sont cosignées par les académies, les conseils régionaux, les conseils généraux et les partenaires publics impliqués. La circulaire n° 96-135 du 14 mai 1996 insiste sur la coopération interministérielle (Éducation nationale, Justice, Intérieur, Défense) pour la prévention de la violence en milieu scolaire. Au début de l'année scolaire 1997-1998, 72 départements avaient signé ces conventions. Dans l'académie de Strasbourg, une convention a été signée au niveau de la région, s'ajoutant à celles signées au niveau des deux départements d'Alsace (Bas-Rhin et Haut-Rhin). Elles permettent une véritable collaboration des services de l'État dans la lutte contre la violence par :

– l'assistance aux élèves en difficulté (maltraitance, démobilisation scolaire, absentéisme répété) ;
– les modalités d'assistance juridique aux fonctionnaires ;
– la formation des adultes de la communauté scolaire

et de celle des « intervenants » relevant d'autres ministères ;
- les manifestations destinées à faire connaître la loi et le droit aux élèves ;
- les actions de traitement des situations difficiles, notamment par la mise en place de structures expérimentales (dispositifs relais) ;
- les bilans de sécurité des établissements ;
- le signalement des situations d'enfants en danger et des incidents susceptibles de justifier des poursuites pénales ;
- les modalités d'observation et d'analyse des phénomènes de violence ;
- l'évaluation des politiques mises en œuvre dans le cadre du partenariat interministériel.

II. – Les divers partenaires

– *Partenariat entre l'Éducation nationale et la police, la gendarmerie et les municipalités.* En septembre 1996, le ministre de l'Intérieur actualise, à l'intention et à l'usage de tous les préfets, la circulaire interministérielle du 14 mai 1996. Les conditions de la prise en charge concertée de la lutte contre la violence scolaire doivent figurer dans la convention départementale que les préfets établissent avec l'ensemble des administrations impliquées dans la prévention et le traitement de la violence. Le cinquième objectif des plans départementaux de sécurité, créés en 1993, concerne les violences scolaires et précise qu'il revient au directeur départemental de la sécurité publique d'établir un constat annuel des problèmes de violence rencontrés dans les établissements qui dépendent de lui.

Les signalements transmis par les chefs d'établissement sont enregistrés par la police qui entreprend des actions préventives ou répressives en conséquence. Dans l'académie de Strasbourg, la direction départementale de la sécurité publique propose aux responsables d'établissement et aux associations de parents d'élèves tous renseignements utiles sur la prévention en matière de délinquance, de violence et de toxicomanie. La police et la gendarmerie nationales organisent des modules ou stages d'information avec l'aide de leurs formateurs relais anti-drogue. Les GOALS (Groupes opérationnels d'action locale pour la sécurité) établissent, en concertation avec les partenaires, des actions de surveillance, des interventions sur le cadre de vie, des formations de personnels. Conformément aux instructions de la circulaire n° 92-166 du 27 mai 1992 qui les a créés, six GOALS ont été mis en place dans les Yvelines. Ils comprennent des représentants des divers secteurs concernés tels que l'Éducation nationale, la police ou la gendarmerie, les magistrats du Parquet, la protection judiciaire de la jeunesse, la DASS. Ils ont pour but de faciliter la communication entre les différents acteurs locaux et favorisent leur synergie pour établir des diagnostics de sécurité et dégager les principales orientations nécessaires à la conception d'une politique locale.

Les collectivités territoriales concernées collaborent avec la police en vue d'améliorer la surveillance des abords des établissements. Une commune ou un groupement de communes peuvent travailler en partenariat avec l'Éducation nationale, la police et la gendarmerie, l'emploi et la solidarité, la jeunesse et les sports pour lutter contre la violence. Des indicateurs permettant d'évaluer les résultats des contrats locaux de sécurité sont définis et une cellule interministérielle d'animation est mise en place. Dans la convention éducation nationale / justice / défense / intérieur, établie par la préfecture du Haut-Rhin, les cas d'élèves en difficulté doivent faire simultanément l'objet de signalements au procureur de la République et auprès de la police ou de la gendarmerie. Le deuxième protocole de partenariat du plan de prévention de la violence en milieu scolaire, établi par l'inspection académique de Seine-Saint-Denis, prévoit, dans ses modalités, une cellule de suivi des violences en milieu scolaire, chargée de réceptionner et d'orienter les fiches de signalement.

En matière de violences sexuelles, la gendarmerie dispose d'un service qui centralise toutes les informations judiciaires portées à la connaissance de ses unités. En 1996, 4 083 faits étaient constatés. Dans les zones périurbaines, la gendarmerie exerce par principe une présence constante de proximité et les toutes récentes brigades de prévention de la délinquance juvénile (BPDJ) en témoignent. Les formateurs relais anti-drogue (FRAD) ont pour rôle préventif de sensibiliser les jeunes aux risques liés à l'usage des stupéfiants.

Les opérations Ville-Vie-Vacances, menées depuis 1995, mettent en œuvre des projets ou des activités fondés sur une action éducative. Elles recouvrent les congés scolaires et réduisent les risques de marginalisation des jeunes de 13 à 18 ans. Les jeunes majeurs incarcérés peuvent y participer. Élus, familles, structures de prévention de la délinquance et divers services d'État participent à ces opérations qui ont concerné 780 000 jeunes en 1996 dont 600 000 au cours de l'été, contre 540 000 en 1995.

La contractualisation fournit des outils pour prévenir et lutter contre les violences :

– *Le contrat éducatif local* s'applique à tous les niveaux scolaires depuis la maternelle ; il concerne l'aménagement du temps des enfants à l'intérieur de l'école et en période périscolaire. Ce contrat doit s'articuler avec les contrats de réussite des REP et ZEP cités plus bas. Dans chaque département, les administrations concernées se constituent en groupes de pilotage, sous la responsabilité conjointe du préfet et de l'inspecteur d'académie.

– *Le contrat de ville* a pour but d'assurer aux villes un développement équilibré en favorisant l'intégration de toutes ses composantes.

– *Le contrat local de sécurité* permet aux autorités académiques et aux chefs d'établissement de recourir aux communes, aux préfet et procureur de la République pour rétablir la sécurité *intra muros* ou à proximité des établissements.

– *Les Réseaux d'éducation prioritaire* ont été créés pour donner une taille humaine à certaines zones d'éducation prioritaire jugées trop importantes. Après quinze années d'existence, elles présentent un bilan contrasté : les résultats scolaires y demeurent inférieurs à la moyenne des autres établissements et plus particulièrement dans les apprentissages fondamentaux.

Les Assises nationales des ZEP, en juin 1998, puis la publication du *BOEN* du 28 janvier 1999 définissent les contours de la relance de la politique d'éducation prioritaire. Plus de 600 collèges et écoles sont intégrés aux réseaux et zones d'éducation prioritaire, mutualisant ainsi leurs ressources pédagogiques et moyens matériels. Aux crédits supplémentaires votés s'ajoutent

600 emplois médico-sociaux, 120 ATOS et 10 000 aides-éducateurs. Certains directeurs d'établissement font l'objet d'un recrutement sur profil et la stabilisation des enseignants titulaires qui acceptent des remplacements en ZEP est encouragée.

Le « contrat de réussite », inscrit dans la durée et comportant un échéancier qui facilite l'élaboration des étapes intermédiaires d'évaluation, associe les partenaires de l'État et les collectivités locales dans le cadre de la politique de la ville. Il prend également en compte les autres contrats existants (« éducatif local », « local de sécurité », etc.).

– *Le partenariat avec la justice.* La circulaire n° 91-50 du 15 octobre 1991 intitulée « Politique de protection judiciaire de la jeunesse et rôle des parquets » a servi de référence aux actions d'information sur le monde judiciaire dans son ensemble et sur la justice des mineurs, en particulier. Les institutions éducative et judiciaire se rencontrent pour débattre et trouver des solutions à des problèmes auxquels elles sont mutuellement confrontées, tels que :

– des cas psychosociaux touchés par la violence, la délinquance, la toxicomanie, la maltraitance ;
– la formation des chefs d'établissement, conseillers d'éducation, enseignants...

L'information et la formation des élèves passent par des manifestations de communication qui illustrent le partenariat entre les deux institutions. L'équipe enseignante la préparant et les éducateurs de la protection judiciaire de la jeunesse l'animant, l'exposition « 13/18, questions de justice » a été saluée unanimement comme un succès dans tous les départements. Une autre façon d'intéresser les élèves sur ce thème est de les faire venir au tribunal pour assister, accompagnés de leurs enseignants, à des audiences.

Certaines classes reçoivent des juges pour enfants et des avocats pour informer les jeunes sur les professions judiciaires et sur les problèmes auxquels ces dernières sont confrontées. Le partenariat entre la justice et l'Éducation nationale est organisé en commissions, comités techniques, réunions de synthèse dont certaines sont formalisées dans les protocoles ou conventions précités.

Les élèves bénéficient, dans certaines académies, de formations relatives aux droits et obligations du jeune citoyen dispensées par certains magistrats. Les thèmes traités en plus de l'éducation à la citoyenneté concernent la justice dans son ensemble, celle réservée aux mineurs, les conduites à risque et la sécurité routière.

– *Les fiches de signalement.* Les fiches de signalement sont transmises aux Parquets et doivent générer une réponse judiciaire. Une attention particulière est portée à l'absentéisme des 12-13 ans qui a tendance à s'aggraver. L'article 40 du Code de procédure pénale institue à la charge de tout agent de l'Éducation nationale l'obligation de signaler sans délai les infractions pénales dont il a connaissance, telles que :

– les agressions verbales importantes, celles qui constituent une menace pour une personne en structure scolaire ;
– les agressions physiques, avec ou sans objet ;
– la détention d'objets dangereux : une arme à feu, un engin explosif ou incendiaire, un couteau plus menaçant qu'un canif ou tout autre outil conton-

dant..., de substances nuisibles (les stupéfiants, l'alcool...) ;
- les vols des jeunes en danger, les vols dits « à l'arraché », donc accompagnés de violence ;
- le racket ou « extorsion » ;
- le recel ;
- les dégradations volontaires (graffitis, incendies...) en fonction du préjudice financier causé ou de leur impact dans l'établissement ;
- l'intrusion qui est un délit depuis mai 1996, suite au décret n° 96-378 ;
- les abus sexuels (viols et agressions) ;
- les autres infractions commises par imprudence entraînant des conséquences importantes (incendies, blessures...).

Le chef d'établissement ou l'un de ses adjoints est tenu de signaler les infractions commises aux abords de l'établissement, dans les transports scolaires ou aux arrêts de bus : il prend des dispositions pour éviter les récidives au sein de l'établissement. Par ailleurs, les enfants dont la santé, la sécurité, l'éducation ne sont pas assurées ou contrôlées doivent également faire l'objet d'un signalement.

La justice est couramment confrontée à des jeunes délinquants de 10-11 ans et elle adapte ses réponses en fonction de leur âge, par des mesures de protection, d'éducation, de réparation ou de sanction.

Un dispositif issu d'un partenariat justice-police-Éducation nationale, a été expérimenté à Colmar (1999) : le stage parental ; il concerne parents et mineurs primo-délinquants, réticents à une prise en charge éducative.

– *Partenariat avec les familles*. « Les familles et l'école ont besoin les unes des autres. Il y a nécessité de vivre et d'éduquer ensemble pour le bien de tous et d'abord des enfants et d'en finir avec des malentendus et les accusations réciproques de démission prétendue », déclare Ségolène Royal, ministre déléguée à la Famille et à l'Enfance (rentrée 2000-2001). Le développement de l'accompagnement scolaire et l'aide aux devoirs, la création avec les associations de parents, de réseaux d'aide aux familles désorientées, l'institutionnalité de la parité parentale et des orientations préventives sont proposées.

– *Les parents relais*. L'association SHEBBA (Marseille) engage ce mode de médiation famille-école en développant la nature des problèmes posés, développe la conciliation pour un retour à la norme, les parents-relais bénéficiant de réseaux de travailleurs sociaux.

– *Partenariat avec la ville*. Dans les années 1980, les politiques de discrimination positive ont donné naissance à la politique de la ville. Hier, les institutions contribuaient à l'éducation morale grâce aux bénévoles et militants, aujourd'hui des services municipaux ou des associations assurent la gestion du temps libre de l'enfant.

La ville est devenue un partenaire financier et éducatif. Le projet éducatif local constitue une étape vers la décentralisation du système éducatif. Ses principes de participation des habitants et des différents professionnels impliqués permettent l'intégration de l'éducation dans une politique de renouvellement urbain. Il créé des liens entre bâtir et éduquer. La lutte contre les discriminations, l'exclusion de certaines populations et de certains territoires, ainsi que l'apprentissage de la citoyenneté trouvent une traduction dans le projet éducatif local.

– *Partenariat avec le Conseil général.* Une enquête (2002) auprès des conseils généraux montre les difficultés à définir les jeunes en souffrance. Les services se heurtent à un déficit de coordination d'informations et d'échanges : les diversités d'approche de la prévention, de l'animation, de la solidarité sont à l'origine de ruptures entre les politiques et les pratiques.

– *Partenariat avec les associations.* L'association Thémis développe depuis plus de dix ans à Strasbourg et à Mulhouse l'accès au droit pour les enfants et les jeunes. Dans l'esprit de la Convention internationale des droits de l'enfant et par des accueils individuels et pluridisciplinaires (juriste, éducateur, psychologue), elle aide l'enfant ou le jeune à exprimer ses problèmes, à les formuler en termes de droit et à faire prendre son opinion en considération. Elle met également en place des actions d'éducation à la citoyenneté et de sensibilisation aux droits de l'enfant.

– *Partenariat avec les syndicats.* Le développement de l'indiscipline, l'augmentation des insultes et des actes de vandalisme, les violences à l'encontre des personnels, les sanctions non appliquées et le soutien des parents aux élèves indisciplinés fragilisent la position des enseignants. Dans un livre noir (novembre 2002), le Syndicat national des collèges et lycées demande de nouvelles prises en charge diversifiées des élèves, l'instauration de règles de discipline applicables, la multiplication d'actions de prévention et la création d'établissements adaptés.

III. – Des initiatives originales
pour les jeunes
en voie de marginalisation

Des unités relais spécialisées existent pour les jeunes qui se sont fait renvoyer d'établissements à plusieurs reprises et qui sont réfractaires au système de scolarisation courant. Au bord de la délinquance, ils nécessitent un suivi particulièrement attentif.

Si les modes d'organisation varient, les principes de fonctionnement restent les mêmes pour toutes ces structures :

– le caractère transitoire de la présence des élèves qui peut aller de plusieurs semaines à quelques mois mais qui n'excède jamais une année ;
– la conservation du statut scolaire pour les jeunes concernés, ces structures étant rattachées sur le plan administratif à un collège ;
– la mixité des personnels d'encadrement dans ces structures : enseignants volontaires, éducateurs et spécialistes du secteur sanitaire et social travaillent en partenariat ;
– le consentement des jeunes, celui de leurs familles sont nécessaires pour les introduire dans ces dispositifs ;
– la réussite de ces expériences dépend de la collaboration des équipes pédagogiques et éducatives, en amont et en aval de l'expérience, lorsqu'ils retrouvent une structure de réinsertion et de formation.

D'autres structures sont concernées par la seule prévention des conduites à risque et ont un rôle important à jouer aux côtés du rectorat, c'est le cas du GASPAR de l'académie de Lille.

– *Le réseau GASPAR de Lille.* Créé en 1989 à Lille, par le Dr Fortin, il a pour objectif d'assister les établissements scolaires dans la résolution de problèmes liés aux comportements difficiles de certains élèves. Il sensibilise les équipes éducatives et les incite à inscrire dans leur projet d'établissement certaines mesures aptes à prévenir les conduites à risque. Une politique de prévention efficace passe selon GASPAR par une réflexion psychopédagogique :

– l'épanouissement d'un enfant est fait de sa confiance en lui ;
– la recherche de ses compétences doit primer sur le constat de ses échecs ;
– la personnalité se construit également par le biais de modèles identificatoires.

La violence verbale qui, dans les établissements, engendre rapidement la violence physique a provoqué une action spécifique de GASPAR qui forme si possible parents et éducateurs sur le rôle et l' « utilité » de la violence verbale, apprend à ceux qui la subissent le contrôle de soi, les moyens de la réduire par d'autres façons de communiquer.

– *Les dispositifs de socialisation et d'apprentissage (DSA) de l'académie de Lyon.* Ils s'adressent à des adolescents lyonnais, entre 12 et 16 ans, en voie de marginalisation ; aucun cas ne relève de la psychiatrie, ni d'institutions spécialisées dans la grande délinquance. La réalisation des objectifs et le succès du DSA dépendent de la qualité du conseil, de la méthodologie mise en œuvre, de la contractualisation personnalisée du travail avec l'élève, de l'écoute portée aux adolescents concernés, de l'aide apportée pour favoriser leur prise de conscience, de sa taille, de son mode de recrutement et de sa flexibilité.

IV. – Des réponses aux violences

– *Le signalement des infractions.* L'installation du logiciel SIGNA (septembre 2001) a facilité la collecte des informations et a permis de mieux appréhender le signalement.

– *Le signalement des incidents.* Les manquements au règlement intérieur, les comportements agressifs et verbaux sont traités au sein de l'école. Communiqués aux inspecteurs de l'Éducation nationale, ceux-ci peuvent saisir la cellule départementale, une aide à la gestion des crises.

– *Les lieux d'écoute pour adolescent.* Ce concept élaboré en partenariat avec l'Éducation nationale, le Comité local de sécurité, les associations, un service de psychiatrie de l'enfant et de l'adolescent (CHS de Rouffach) s'inscrit dans une démarche d'aide et de soutien en offrant un lieu d'écoute temporaire.

– *Une maison de l'éducation.* Un modèle est né à Lille (1992) pour « promouvoir et accompagner la réussite scolaire grâce à un appui technique et méthodologique aux acteurs de l'éducation, pour participer à une amélioration de l'efficacité des actions éducatives ». Les axes retenus sont le partenariat, la parentalité, la mise en réseau des ressources éducatives, le conseil et l'aide méthodologique. Elle permet une dynamique partenariale sur le territoire de la métropole lilloise.

– *L'école de la nouvelle chance.* Il s'agit d'un dispositif de prise en charge à la fois scolaire et éducatif de jeunes placés dans l'établissement par décision de justice, sur la base de l'article 375 du Code civil (assistance éducative) ou de l'ordonnance du 2 février 1945 (mineurs délinquants). Sa réussite s'appuie sur un partenariat important entre la ville, la justice, l'Éducation nationale et l'Aide sociale à l'enfance.

– *Des expériences diverses.* – *Des classes à effectif réduit.* Une centaine de sites expérimentaux (juin 2002) ont été sélectionnés afin de mesurer l'effet de l'abaissement du seuil des effectifs (10 élèves) sur les apprentissages fondamentaux.

– *Les ateliers-parents et les stages d'éducation à la citoyenneté* ont un rôle de soutien aux parents dans leurs responsabilités éducatives.

– *Des initiatives de terrain.* Pour lutter contre les incivilités, l'école Jacques-Duclos à Lyon a rédigé un permis de conduite à points. Un collège de Strasbourg (quartier Neuhof) a adopté un projet d'établissement « Mieux vivre pour mieux apprendre au collège » qui exerce un contrôle absolu des absences. La région Île-de-France (2000) offre un numéro vert contre les violences scolaires et le racket, et crée un observatoire de la sécurité. Elle coédite (2002) le *Manuel lycéen contre la violence* diffusé à 400 000 exemplaires.

– *Des soutiens à la parentalité.* Des points d'écoute pour les élèves (Montpellier, collège des Aiguerelles), un point « écoute-parentalité » et des formations pour gérer et résoudre les conflits (association Laïcité - Initiatives échanges et négociations en Haute-Garonne) ont été mis en place.

– *Des collèges différents.* En 1992, au collège de Mulsanne (Sarthe) est élaboré le manifeste « Halte au massacre des intelligences » contre le collège unique.

– *Des accueils adaptés : les jardins d'enfants éducatifs.* Ce mode d'accueil entre la maison et la classe maternelle est à redécouvrir. *La Maison des Adolescents* dispose d'un accueil pluridisciplinaire, autour de la santé et de l'éducation.

– *Des structures d'avenir.* La Maison des Adolescents vise à l'amélioration des soins en psychiatrie. Le projet repose sur la notion de réseau. Une équipe d'infirmiers et d'éducateurs permet l'accès sur de grandes plages horaires. Le travail se fait sur place mais l'équipe peut se déplacer. La Maison des Adolescents offre des consultations pluriprofessionnelles où interviennent médecins (psychiatres, généralistes, pédiatres, gynécologues), psychologues, orthophonistes, enseignants, travailleurs sociaux et juristes.

Elle travaille en articulation avec l'unité d'hospitalisation spécifique pour adolescents. La Maison des Adolescents veut se situer dans un réseau dans le but d'assurer en amont et en aval des temps d'hospitalisation.

Il est également proposé d'ouvrir sur le site, des structures spécifiques pour adolescents, par exemple des places de centre d'accueil thérapeutique à temps partiel et d'hospitalisation de jour.

Le partenariat avec l'Éducation nationale peut se faire par le détachement d'enseignants participant à un travail de bilan mais aussi, à la constitution d'une unité pédagogique qui peut inclure l'enseignement sur place pour les adolescents les plus en difficulté et l'accompagnement dans des intégrations scolaires, dans l'enseignement secondaire et supérieur.

Chapitre IV

LES VIOLENCES SCOLAIRES :
LA LUTTE POUR LES VALEURS

I. – Une prise de conscience politique

1. **Le plan Lang** de mai 1992 donne des réponses quantitatives : 80 établissements déclarés sensibles reçoivent en renfort 300 agents d'accueil et d'entretien et 2 000 appelés du contingent ; les enseignants volontaires bénéficient d'un bonus de carrière ; la coopération avec la police et la justice est renforcée ; l'école ouverte est étendue à 100 établissements.

2. **Les plans Bayrou.** – Le ministre de l'Éducation nationale, François Bayrou lance, en mars 1995, un plan de lutte contre la violence scolaire qui prévoit la réduction de la taille des établissements « sensibles », la création de postes de médiateurs ainsi qu'un numéro sos Violence et la mise en place de conventions départementales entre différents partenaires (Éducation nationale, police, gendarmerie, justice, DASS) afin de permettre une véritable collaboration.

En mars 1996, le deuxième plan Bayrou instaure des classes relais et affecte 2 500 appelés du contingent, 150 surveillants et 59 CPE supplémentaires à l'Éducation nationale ; l'internat est renforcé et le tutorat est proposé aux professeurs débutants.

3. **Les plans Allègre.** – Claude Allègre prend de nouvelles dispositions en novembre 1997 (*BOEN* n° 41 du 20 novembre 1997) en faveur de la création de neuf sites expérimentaux répartis sur six académies (Créteil, Versailles, Lyon, Aix, Marseille, Lille et Amiens), d'un nombre important de personnels médico-sociaux et de médecins scolaires, du renforcement des dispositifs de relais et d'aide aux victimes ainsi que d'un partenariat élaboré à partir de conventions départementales, de contrats locaux de sécurité et des comités d'éducation à la santé et à la citoyenneté.

4. **Le plan Lang.** – Le Comité national de lutte contre la violence scolaire est installé (octobre 2000). Un bonus de carrière est affecté aux enseignants volontaires dans une centaine de collège franciliens et un nouveau logiciel de recensement des phénomènes de violence (signa) est créé. Les écoles maternelles et élémentaires sont intégrées au nouveau dispositif et le développement de l'internat devient un objectif essentiel. Un plan quinquennal pour une politique des arts et de la culture à l'école est adopté. La campagne « le respect, ça change l'école » est initiée en octobre 2001. Elle prévoit le renforcement d'un dispositif de stabilisation des équipes de direction et éducatives dans certains collèges, la création d'un poste de proviseur vie scolaire dans chaque département de la région Ile-de-France et une coopération renforcée entre les différents services de l'État.

5. **Le plan Ferry.** – Luc Ferry, ministre de l'Éducation nationale, et Xavier Darcos, ministre de l'Enseignement scolaire, développent trois chantiers

prioritaires (mai 2002) : la lutte contre l'illettrisme, l'articulation entre enseignement général et enseignement professionnel et le combat contre la violence scolaire.

La mobilisation des jeunes, après le premier tour des élections présidentielles, a montré l'urgence d'un « discours à la jeunesse ». Dès la rentrée 2002-2003 et dans tous les établissements scolaires, un « livret de l'engagement » regroupant l'ensemble des informations pratiques pour les jeunes qui souhaitent s'engager dans des actions de bénévolat est diffusé. Une « journée nationale de l'engagement » est instaurée afin de permettre aux élèves de rencontrer des associations.

En juin 2002, le ministre annonce un plan d'action pour lutter contre l'illettrisme à l'école, reprenant et développant des mesures déjà engagées et en ajoutant de nouvelles. Luc Ferry estime que « tout ce qui concerne notre héritage, dont la langue maternelle, a été trop longtemps dévalorisé au profit de la créativité et le niveau ne cesse de se dégrader... ».

Le « plan Ferry » demande aux enseignants de consacrer aux activités de lecture et d'écriture deux heures trente par jour dans les premières années d'école puis deux heures par jour (dix à douze heures par semaine, selon le programme Lang). Il rappelle l'obligation de faire lire et écrire régulièrement les enfants, non seulement en français, mais dans toutes les autres disciplines, et l'introduction prévue de la littérature. À ces mesures, s'ajoute la création d'une nouvelle évaluation des acquis des élèves. Il en existait deux, l'une en CE1, l'autre en sixième, dorénavant, il y en aura une troisième en CM1.

Dès la rentrée 2002, une nouvelle prise en charge des élèves en grande difficulté d'apprentissage de la lecture dès le CP est mise en place dans 100 à 150 écoles avec des dispositifs n'accueillant pas plus d'une dizaine d'élèves et testés sur deux ans.

En octobre 2002, plusieurs faits spectaculaires alertent Xavier Darcos sur le niveau inquiétant de la violence scolaire en France qui connaît un accroissement similaire à celui enregistré dans l'ensemble des pays européens. De grandes orientations sont adoptées : le doublement des classes relais, une augmentation des ateliers relais, un développement du concept d'école ouverte, l'exclusion des majeurs délinquants, des contrats d'établissement comportant des droits et devoirs permettant notamment de contrôler les problèmes d'absentéisme, un accroissement de l'autorité des chefs d'établissement et l'extension de l'aide aux victimes.

En janvier 2003, Luc Ferry et Xavier Darcos présentent le nouveau dispositif des assistants d'éducation qui soulève de nombreuses protestations.

II. – Individus et société

1. **L'éducation à la citoyenneté.** – Efficiente et constructive, parallèle à la transmission des savoirs, l'éducation à la citoyenneté doit aider les jeunes générations à maintenir et promouvoir la cohésion sociale de demain. L'évolution de la société nécessite l'éducation aux valeurs liées aux droits de l'homme, à la démocratie et à la République, le respect et la solidarité restant les références fondamentales.

Le *BOEN* n° 29 du 16 juillet 1998 donne la triple dimension des programmes de formation civique à l'école primaire et au collège : les droits de l'homme et la citoyenneté, le sens des responsabilités individuelles et collectives, le développement de l'esprit critique par l'éducation à l'image et la pratique de l'argumentation.

Créée par le ministère de l'Éducation nationale et le Sénat, la « Charte du jeune citoyen de l'an 2000 », adoptée le 8 mars 1997, avait pour but de sensibiliser les jeunes et l'opinion publique, au besoin de « repenser » le civisme à l'aube du IIIᵉ millénaire.

– *Un sentiment d'appartenance en désuétude.* L'éducation rigoureuse dont bénéficiaient nos aînés avait une consonance morale. Le sens du devoir, la conscience professionnelle étaient valorisés au même titre que la politesse et la syntaxe grammaticale. Aujourd'hui, les conséquences socio-économiques du progrès technique rendent la société complexe et le sentiment d'appartenance de l'individu à la société s'estompe au profit de la valorisation individuelle..

– *L'individualisme en question.* Le philosophe et sociologue Gilles Lipovetski a dépeint les phases successives de l'histoire de la morale occidentale : ce fut d'abord « le devoir de religion », puis la religion du devoir et, depuis les années 1960, la période postmoraliste. Mère Teresa et l'abbé Pierre symbolisent encore le dévouement total aux autres mais les valeurs qu'ils incarnent ne font plus recette parmi les jeunes qui préfèrent « des morales indolores, minimales et à la carte ».

– *Les valeurs, c'est l'affaire de tous et une question de sens.* Les cours de morale à l'école, au collège et au lycée demeureront vains s'ils ne sont pas relayés par les parents.

Les programmes :

– *L'apprentissage commence dès la maternelle.* Dès leur plus jeune âge, les enfants doivent acquérir des comportements intellectuels et sociaux qui favorisent leur prise de repères. Les écoliers apprennent les notions de respect de soi et des autres et les comportements responsables. Dans l'enseignement primaire, ils étudient les principes et les institutions de la République française et apprennent les règles de politesse, le sens de la vérité, du courage et de l'effort.

– *Les valeurs républicaines au programme des collèges.* Au collège, l'éducation civique vise trois objectifs :

– l'acquisition des valeurs et principes républicains et démocratiques ;
– le sens des responsabilités individuelles et collectives ;
– l'éducation au jugement (esprit critique, pratique de l'argumentation).

Dans un contexte difficile, l'enseignant tente de faire passer les valeurs de la République : tolérance, laïcité... Cet enseignement répond à un réel besoin. Les élèves doivent comprendre dès leur plus jeune âge que la vie en société impose des règles et que la loi qui en découle nous concerne tous ; elle protège mais aussi contraint et n'est pas négociable. Les rôles de la police et de la justice sont clairement définis et les visites sur le terrain recommandées.

– *L'enseignement civique juridique et social au lycée.* Le lycée ne dispense pas d'enseignement d'éducation civique mais les programmes des classes de seconde comportent des aspects propices à la réflexion sur la citoyenneté qu'il appartient aux enseignants de développer.

Le *BOEN* du 9 juillet 1998 prévoit des formations destinées aux enseignants sur le thème de la citoyenneté et, à la rentrée 1999, le ministère de l'Éducation nationale prévoit de créer un enseignement d'éducation civique juridique et social en classe de seconde à raison de deux heures par mois. Ce nouvel enseignement obligatoire (*BOEN* n° 21 du 27 mai 1999) vise à « l'apprentissage de la citoyenneté et de la démocratie ». L'accent est mis sur l'organisation de débats argumentés.

– *Au-delà d'une éducation citoyenne.* « La violence n'est directement liée ni à l'injustice, ni à la blessure, ni à la frustration mais à l'impuissance devant ces situations difficiles, à exprimer ses besoins et à recevoir satisfaction... C'est l'impuissance qui préside à la violence... La violence n'est pas la colère, elle est l'échec de la colère. Quand on n'a pas la possibilité de s'affirmer, d'être entendu, de résoudre un problème, on se sent impuissant et de plus en plus dépendant d'autrui. »[1]

– *Des éléments de psychologie de base, de connaissance de soi.* Il est utile d'expliquer l'adolescence et d'instaurer un dialogue dès la classe de troisième entre professeurs et élèves sur les concepts de paternité et de maternité. Au moyen de tests écrits et oraux, les collégiens peuvent prendre conscience de leurs atouts individuels et des progrès à accomplir pour améliorer leur aptitude à vivre en société. Les jeunes portent ainsi un regard critique sur leur propre comportement.

1. Isabelle Filliozat, *L'intelligence du cœur*, Lattès, 1998.

La lutte contre les incivilités peut passer par des ateliers théâtres qui sont un procédé efficace pour révéler les jeunes à eux-mêmes et une aide à l'expression orale. Le professeur peut demander d'illustrer, dans une situation donnée, différents comportements :

« Il y a un langage de la violence, c'est un langage qui juge, dévalorise, nie l'existence de l'autre, méconnaît toute émotion... Il y a un langage de la non-violence, celui qui écoute et qui respecte, qui reconnaît l'autre, qui partage des émotions, qui exprime des besoins... »[1]

– *Il convient de promouvoir davantage les enseignements artistiques pour amorcer, dès le plus jeune âge, l'éducation à la sensibilité.* Il est évident que les activités artistiques participent au progrès de l'homme, qu'elles constituent une forme d'évasion des plus constructives pour l'esprit et qu'elles doivent avoir une part plus importante dans les programmes scolaires.

– *Sensibilisation des élèves des classes de troisième à la vie lycéenne.* Un Conseil de la vie lycéenne a été installé dans chaque lycée (circulaire du 11 juillet 2000).

– *Activités citoyennes.* Le guide de l'engagement distribué dans les établissements scolaires en mars 2003 veut favoriser l'engagement des jeunes de 11 à 28 ans, et leur permettre de s'investir dans des actions utiles à la collectivité, de développer leurs talents ou de participer à la vie de la cité.

---

1. Isabelle Filliozat, *op. cit.*

III. – L'influence des médias.
Importance des images et de la télévision

La ministre déléguée à la Famille, S. Royal, dans un rapport (12 mars 2002) du collectif interassociatif enfance et média (CIEM) propose une protection accrue des jeunes face à la violence des images. Un éventail de mesures concrètes est annoncé par Catherine Tasca (ministre de la Culture et de la Communication). La technique du médiateur pourrait être adaptée aux programmes jeunesse sur des chaînes du service public et la création d'un compte de soutien destiné aux émissions pour l'enfance et la jeunesse pourrait être envisagée. Pour une meilleure qualité des programmes, l'investissement dans la production paraît être une solution. La télévision publique pourrait ne plus programmer des films interdits au moins de 12 ans. Un choix de service public pour enfant sans publicité pourrait être créé.

La philosophe Blandine Kriegel, présidente de la mission sur la représentation de la violence à la télévision (rapport du 14 novembre 2002), a fait le pari de la bonne foi, en recommandant aux chaînes de télévision de se conformer à un code de bonne conduite, assorti d'un renforcement des instruments de protection de la jeunesse et des pouvoirs du Conseil supérieur de l'audiovisuel, dans un délai d'un an.

En effet, toute violence, considérée comme « la force déréglée qui porte atteinte à l'intégrité physique ou psychique pour mettre en cause dans un but de domination ou de destruction l'humanité de l'individu », doit être bannie des programmes.

Le débat ne doit pas se limiter à une confrontation

entre lobby de l'ordre moral et lobby commercial, mais développer la problématique de la responsabilité sociale à l'égard des enfants. Une vision globale, intégrant l'ensemble des flux d'images, la responsabilisation des acteurs, la création d'un espace de concertation permanente et de régulation sont des axes proposés.

La télévision, le plus puissant vecteur de communication de notre temps, ne saurait se contenter d'être un simple produit soumis à la seule logique du marché. Elle doit remplir d'autres fonctions telles que contribuer à la formation d'une citoyenneté démocratique, favoriser la rencontre et la découverte des personnes et des cultures, développer une pédagogie à prendre part à la vie civique et politique.

IV. – **Lutter contre l'impuissance et la fatalité**

– *La lutte contre l'absentéisme.* L'absentéisme est difficile à appréhender. D'après le ministre de l'Éducation nationale, entre 1980 et 2000, le taux d'absentéisme serait passé de 9 à 21 % chez les garçons et de 6 à 13 % chez les filles, dans la population des 11-18 ans entre 1980 et 2000, c'est-à-dire un élève sur huit dans cette tranche d'âge. Dans l'académie de Strasbourg, 2 500 élèves sur plus de 330 000 élèves inscrits en 2001 relevaient d'un absentéisme aggravé, soit plus de quarante demi-journées d'absence dans l'année par élève.

L'obligation scolaire est définie à l'article L 131-1 du Code de l'éducation : « L'instruction est obligatoire pour les enfants des deux sexes, français et étrangers, entre 6 et 16 ans. Le mineur inscrit dans un établissement est tenu de le fréquenter avec assiduité. » Le contrôle de l'assiduité est prévu par le Code de l'éducation (art. L 131-8) : « Lorsqu'un enfant manque momentanément la classe, les personnes responsables doivent, sans délai, faire connaître au chef d'établissement, les motifs de cette absence. Le respect de cette obligation est à la charge de l'inspecteur d'académie. » La suspension ou la suppression du versement aux parents des prestations familiales par les Caisses d'allocations familiales régie par l'article 5 de l'ordonnance n° 59645 du 6 janvier 1959 intervient lorsque l'avertissement adressé aux parents est resté sans effet. La suspension des allocations familiales intervient en cas « d'absence non justifiée pendant au moins dix demi-journées dans le mois », selon un arrêté du 8 août 1966. Les sanctions financières figurent dans les textes officiels : une amende (alors de 400 à 2 000 F, soit 60 à 305 €) ou un emprisonnement de dix jours à deux mois figurent dans un décret n° 66-104 du 18 février 1966, si un enfant a manqué la classe « sans motif légitime ou excuse valable quatre demi-journées dans le mois », malgré des avertissements répétés de l'inspecteur d'académie.

Dans un rapport remis au gouvernement, le groupe de travail relatif aux manquements à l'obligation scolaire, installé le 1er octobre 2002, s'est prononcé pour une actualisation des textes existants, mais aussi pour une suppression de la mesure mettant fin aux allocations familiales en cas d'absentéisme.

– *La lutte contre l'illettrisme.* C'est une priorité nationale depuis la loi sur les exclusions (1998). En 2002, le ministre de l'Éducation nationale considère que 15 à 20 % des élèves entrant en sixième ne maîtrisent pas les bases en français. Parmi les 600 000 jeunes convoqués aux journées d'appel de préparation à la défense, 6,5 % ont de graves difficultés de lecture et de compréhension.

Le rapport « illettrisme-exclusion » (Alain Bentolila et Jean-Philippe Rivière), publié en octobre 2001, montre que 8 à 10 % des jeunes adultes sont incapables d'affronter la lecture d'un texte simple et court et que 33 % des jeunes quittant la classe de troisième sans diplôme sont en situation d'illettrisme.

Luc Ferry (juin 2002) propose un plan d'action dans la continuité de ses prédécesseurs, en expérimentant une nouvelle prise en charge des élèves en grande difficulté d'apprentissage de la lecture dès le CP.

– *La lutte contre l'ennui à l'école*. « Auparavant, les élèves avaient appris à s'ennuyer poliment », explique Philippe Meirieu, « aujourd'hui, ils l'expriment dans un langage qui n'est pas scolairement acceptable et le chahut a laissé la place à des comportements plus agressifs ». Selon le SNES[1] (mars 2002), 33 % des enseignants identifient le manque de motivation des élèves. Certaines matières, la grammaire, la géologie, les vecteurs en mathématiques concentrent le manque d'intérêt. Le collège propose des itinéraires de découverte pour réveiller l'attention. Au lycée, une pédagogie active permet les travaux personnels encadrés. Le recours aux nouvelles technologies devrait permettre de rendre attractives les matières les plus rebutantes. « Face à des enfants de la télécommande, qui ne supportent pas de rester inactifs, il est nécessaire de redonner un sens aux enseignements afin de combattre le sentiment d'empilement des connaissances » (Philippe Meirieu).

1. Syndicat national des enseignements de second degré.

– *La lutte contre l'échec scolaire.* L'échec est la résultante de nombreuses formes de difficultés rencontrées pendant la scolarité. L'apprentissage peut être lié à des dysfonctionnements : dyslexies de gravités différentes, dysorthographie, dysgraphie, à des troubles du langage, à une déficience intellectuelle. Les troubles affectifs, le désintéressement scolaire, le handicap socioculturel, les situations psycho-affectives particulières sont fréquents.

L'échec scolaire a pour conséquence des redoublements répétitifs, une orientation subie et/ou l'abandon d'une filière souhaitée, la mise à l'écart par l'intégration dans diverses structures.

La multiplication des structures reflète la variété des situations (non exhaustives) :

– les structures d'adaptation et d'intégration scolaires, telles les classes d'adaptation fermées, le regroupement de classes d'adaptation ouvertes, les classes d'intégration scolaire ;
– les sections d'enseignement général et professionnel adapté ;
– les structures plus spécialisées : le service d'éducation spécialisé et de soins à domicile (SESSAD), les unités pédagogiques d'intervention.

L'intégration par les classes d'accueil permet à des enfants de 12 à 16 ans d'apprendre le français et les matières principales avant de rejoindre le cursus normal. Issus de milieux très défavorisés, réfugiés, ces enfants nécessitent une attention soutenue. Après des stages d'intégration, ils quittent la classe d'accueil au maximum après un an.

Chapitre V

RÉFLEXIONS POUR LE FUTUR

I. – Bâtir pour enseigner dans la sérénité

Les structures scolaires ont évolué depuis la fin de la Seconde Guerre mondiale. Dans les années 1960, l'architecture était standardisée, inesthétique et ces bâtiments sont aujourd'hui dans un état de dégradation avancée. Depuis les lois de décentralisation, les collèges sont gérés par les conseils généraux alors que les conseils régionaux ont en charge les lycées. Des différences persistent mais un travail de rénovation et de construction a été réalisé. La taille des établissements a une incidence sur leur gestion, sur la discipline à établir dans le règlement intérieur et sur la qualité de l'enseignement. Les établissements de 4 à 500 élèves sont les plus susceptibles de répondre aux impératifs actuels de vigilance.

Dans les zones réputées sensibles, l'implantation demande des précautions : le terrain vague qui est destiné à la future construction peut déjà être investi par les jeunes du quartier qui voient d'un mauvais œil ouvriers et contremaîtres occuper l'espace qu'ils s'étaient approprié à leur usage personnel. Il convient de veiller à :

- la qualité de l'intégration paysagère de futurs bâtiments, à leur harmonisation avec la trame végétale ;
- l'orientation des fenêtres vers des vues intéressantes ;
- l'identification du lieu, notamment ne pas choisir un site précédemment employé.

Les collèges ruraux appelés à jouer un rôle dans la politique locale d'aménagement du territoire et dans la politique globale de la ville doivent pouvoir s'ouvrir en dehors des heures de scolarisation aux organismes institutionnels et associations. Des rencontres entre la municipalité, la direction de l'urbanisme et l'Éducation nationale facilitent le dialogue entre tous les partenaires impliqués.

– *Organisation fonctionnelle des bâtiments.* Il est recommandé de dissocier la circulaire des véhicules de celles des vélos et des piétons. Une aisance spatiale suffisante est recommandée pour les espaces de récréation, le parvis d'accès, le hall et les couloirs. Les dispositifs incontournables aujourd'hui comprennent une salle d'animation sous forme d'amphithéâtre, un foyer club, une cour, des espaces verts et un préau en cas de pluie. Le foyer-cafétéria peut être un lieu d'échanges et de détente sur lequel les élèves ont éventuellement un droit de gestion sous contrôle des adultes.

Les conseillers d'éducation et d'orientation doivent pouvoir disposer d'un bureau quand ils le souhaitent, à l'instar de l'infirmière et de l'assistante sociale. Une convention maintenance, conjointe à une politique ouverte de respect de l'environnement, menée par l'équipe de direction, seront les garants de l'entretien des locaux.

En matière de sécurité, le paradoxe actuel des établissements scolaires réside dans le fait qu'ils représentent un service public dans un espace fermé. Hier, l'espace était réservé à des privilégiés, ce qui n'est plus le cas aujourd'hui, d'où l'utilité toute symbolique de la clôture. Celle-ci n'a pas besoin d'une certaine hauteur pour être prise en considération, l'intrusion se trouve maintenant reconnue comme un délit. L'école doit fonctionner en partenariat avec les collectivités locales, leurs équipements (musées, bibliothèques...), les associations, les entreprises... Sans verser dans la polyvalence pour pallier les insuffisances des services publics, elle doit être un acteur à part entière du développement culturel, particulièrement dans les zones rurales.

– *Les contraintes.* La construction des collèges et lycées est soumise à diverses obligations réglementaires d'urbanisme : hauteur des édifices limitée à trois étages, emprise d'espaces verts minimale, harmonie du plan de masse axée sur la communication des édifices entre eux, assurant une réserve foncière en cas d'extension, fonctionnalité des accès.

– *La sécurité des personnes.* Les risques d'incendie et de panique dans les établissements publics imposent certaines obligations en amont du permis de construire. Ainsi le projet architectural devra assurer une protection particulière contre les chutes d'objets dès que les bâtiments comportent un ou plusieurs niveaux et prévoir l'accessibilité des lieux par un cheminement praticable et continu y compris au bénéfice des handicapés.

– *Les garanties.* Les constructeurs sont tenus de fournir des garanties contractuelles décennales, matérialisées par l'obligation d'assurances en responsabilité de l'ensemble des loueurs d'ouvrages participant à l'opération. Des « tags » ou dégradations peuvent apparaître quelques jours après l'inventaire d'un établissement neuf. À l'issue de la construction d'un établissement scolaire, les chefs d'établissement doivent mener un travail d'accompagnement civique auprès de tous les personnels et surtout des élèves en leur rappelant que l'argent des contribuables a financé l'ouvrage et qu'il doit demeurer en bon état.

État et capacité des internats. Le rapport 2000 de l'Observatoire national de la sécurité des établissements scolaires et d'enseignement supérieur concerne 2 073 bâtiments de 1 376 établissements accueillant 147 549 internes pour une capacité de 176 565 places, 71 % des bâtiments ayant été construits avant 1975.

II. – Des propositions
qui se sont transformées en actions

– *Pour un vrai partenariat entre l'école et la ville.* Certaines banlieues concentrent de nombreux fléaux : toxicomanie, rejet de tout ce qui symbolise les institutions, violences urbaines et scolaires... Après la mise en œuvre des dispositifs de soutien scolaire, de contrats éducatifs locaux, des contrats de ville, du tutorat pour les plus démunis et l'installation de cellules de veilles éducatives, il est nécessaire de développer un partenariat avec l'ensemble des acteurs locaux, institutionnels et associatifs. Le projet éducatif local (mars 2001) veut contribuer à réduire les inégalités.

– *L'établissement doit s'ouvrir davantage.* Le dialogue au sein de l'établissement est une absolue priorité. Le projet d'établissement doit être, dans certains endroits, redynamisé. Les chefs d'établissement sont en contact avec les associations de terrain qui peuvent disposer de locaux clairement identifiés au sein de l'établissement.

Les orientations prises par le ministre (octobre 2002) veulent redonner une certaine solennité à l'école.

À chaque rentrée, les élèves et leurs parents sont reçus séparément par un membre de la communauté éducative, doivent lire le règlement intérieur et signer un code d'honneur.

Les élèves fautifs doivent réparer afin de prendre conscience de la gravité de leurs actes par un système d'exclusion-inclusion (travaux d'intérêt général au sein de l'établissement ou en dehors)

Le tutorat se développe. Les écoles, collèges et lycées en zones difficiles sont plus accessibles, surtout en période de vacances.

Les chefs d'établissement voient leurs pouvoirs accrus : ils peuvent exclure les élèves majeurs indésirables. Les victimes de violence (enseignants, élève, chefs d'établissement) peuvent s'adresser à un adulte référent.

L'école doit redevenir un sanctuaire. Pour veiller à la sécurité et lutter contre les intrusions extérieures et les actes de violence, les établissements scolaires sensibles seront équipés de clôtures, de systèmes de vidéosurveillance, de portails électroniques... Les forces de l'ordre pourront intervenir dans l'enceinte scolaire dès que la loi le nécessitera.

– *Repenser la carte scolaire*. La création de la carte scolaire avait pour finalité de permettre une certaine équité. Des établissements « difficiles » se sont développés à côté des cités ghettos et la carte scolaire apparaît comme un « reproducteur » des inégalités sociales et culturelles.

Depuis 1999, un peu moins d'un élève sur cinq se trouve en ZEP ou en REP, soit près de 1 700 000 élèves répartis sur 900 zones. On constate une situation d'évitement des zones sensibles par les élèves issus de milieux plus aisés.

– *Créer un carnet du comportement*. En 1998, dans notre rapport « Violences scolaires, ni fatalité, ni impuissance », nous proposions un carnet du comportement, censé suivre chaque élève de la maternelle aux classes terminales. Les responsables composés des personnels éducatif et médico-social (COP, infirmière, assistante sociale...) y portent leurs observations sur la manière de se conduire de l'élève vis-à-vis des professeurs et de ses camarades.

Mme Ségolène Royal, dans le cadre de ses « Initiatives citoyennes », propose une charte de la vie scolaire et le renforcement de l'éducation civique. Elle préconise l'utilisation d'un « cahier de vie » de l'élève décrivant sa personnalité, ses performances ; il est destiné aux enseignants et à la famille, obligatoire en maternelle et éventuellement en primaire (*Le Figaro,* mai 1998). Nous avons pu ressentir les obstacles à cette initiative tant des parents que des enseignants.

Xavier Darcos, ministre à l'Enseignement scolaire, retient, parmi ses thèmes d'action (octobre 2002), la signature d'un contrat d'établissement entre l'élève, ses parents et les professeurs qui comportera des droits et devoirs mais servira également à contrôler les problèmes d'absentéisme scolaire et de comportement.

– *Proposer un plus large développement de la prévention primaire.* Le dépistage des anomalies sensorielles les plus fréquentes doit s'intensifier. Il faut intervenir avant l'apparition du processus pathologique et offrir un lieu de parole aux parents dans les écoles. Développer les contacts entre les enseignants et le service de PMI est impératif. Les enfants dits « prioritaires » nécessitent une prise en charge spécialisée immédiate par le service PMI et les enfants dits « potentiellement en difficulté » doivent bénéficier d'un bilan complet.

La mission de promotion de la santé en faveur des élèves, définie par le ministère de l'Éducation nationale en janvier 2001, a permis de définir de nouvelles modalités en matière de politique de santé. En mars 2001, des dispositions sont prises en faveur d'un dépistage systématique et préventif des troubles des apprentissages (dyslexie, disphasie...) et de nouvelles mesures en faveur de l'intégration des élèves handicapés sont présentées le 21 janvier 2003.

– *Redéfinir les fonctions des personnels d'encadrement.* Les personnels d'encadrement de l'Éducation nationale comme les CPE et les chefs d'établissement doivent s'acquitter de lourdes charges administratives qui souvent contribuent à les couper du terrain. Il conviendrait de limiter ces tâches afin de permettre à ces personnels d'effectuer un réel travail de prévention et de dialogue au sein de l'établissement scolaire.

Depuis janvier 2003, les assistants d'éducation bénéficient d'un nouveau statut. Ils devraient remplacer les anciens MI-SE (maîtres d'internat et surveillants d'internat) et les aides éducateurs.

– *Maintenir pour les enseignants une formation de qualité.* Après la fusion entre les IUFM et les MAFPEN, il convient de poursuivre et de développer la formation initiale et continue. Cette dernière apparaît de plus en plus indispensable pour permettre une adaptation des personnels à un nouveau public scolaire et à l'évolution de la société.

Dès la rentrée 2002, pour les futurs professeurs des écoles, l'accent est mis sur l'apprentissage du français et sur l'introduction d'une dominante de formation en langue, arts et culture, éducation physique et sportive, et d'un certificat de compétences obligatoire en langue et en informatique. Pour les futurs professeurs de l'enseignement secondaire, la mise en place expérimentale de certifications complémentaires en liaison avec les universités est effective ainsi que l'affectation d'un stage en responsabilité au collège, en école ou en lycée professionnel. Pour tous, une formation fondée sur l'expérience des stages et sur la pratique est reconnue nécessaire ainsi qu'une formation par des enseignants en service partagé en double affectation.

Luc Ferry annonce (avril 2003) une formation recentrée sur les connaissances et une réforme du fonctionnement des IUFM.

– *Développer le recrutement sur profil.* Dans les établissements difficiles, la stabilité des équipes est un élément indispensable au bon fonctionnement des établissements. Au-delà de l'indemnité financière qui existe déjà, il conviendrait de permettre d'alléger la semaine de travail des enseignants et une accélération de la carrière des chefs d'établissement qui auraient obligation de rester sur le même poste quatre ou cinq années.

– *Revaloriser les fonctions du personnel médico-social.* Médecins scolaires, infirmières, assistantes sociales ont besoin d'une revalorisation de leurs fonctions et d'une meilleure répartition de leurs effectifs entre les établissements. Le personnel médico-social doit assurer une plus grande présence dans les établissements de grande taille et répertoriés sensibles.

– *Fournir aux jeunes des éléments de psychologie de base.* Les jeunes doivent acquérir très tôt des notions permettant une meilleure connaissance d'eux-mêmes. En apprenant à analyser leurs comportements, à comprendre leurs émotions, les jeunes doivent parvenir à limiter le processus affectif de leurs frustrations.

– *Éduquer les jeunes à la sensibilité.* Les activités artistiques doivent avoir une part plus importante dans les programmes scolaires. Le développement de l'architecture, le rapprochement entre écoles maternelles et élémentaires, le développement de l'expression écrite (essais, poésie, textes dramatiques courts), le soutien au théâtre scolaire sont des pistes à confronter aux réalités budgétaires.

Créée en septembre 2000, la mission de l'éducation artistique et de l'action culturelle veut favoriser la formation culturelle des élèves et les mettre en contact avec la création. Elle doit développer de multiples formes de partenariat. Un plan de cinq ans fixe les grandes orientations : outre le chant choral, la musique, la diction de textes, le théâtre, la danse et les arts plastiques, il ouvre des domaines peu concernés : le cinéma, les musiques actuelles, l'architecture, le patrimoine, la photographie, les arts du goût ou les arts du quotidien et du design. Un premier bilan (mars 2002) montre que cette réforme a séduit les enseignants.

– *La lutte contre l'absentéisme.* Un groupe de travail relatif aux manquements à l'obligation scolaire a été créé (1er octobre 2002). Ses conclusions ont été remises le 22 janvier 2003.

– *Procéder à une prise en charge réelle et précoce de certains adolescents.* Pour les adolescents qui connaissent des situations de maltraitance, il s'agira de développer les internats urbains. Afin d'éviter que la loi du silence ne s'érige en règle absolue pour les adolescents victimes de violence, il s'agira de trouver un lieu d'expression libre et si nécessaire, confidentiel.

La Défenseure des enfants, Claire Brisset, dénonce dans ses rapports annuels 2000-2001 les carences de la pédopsychiatrie en France. En l'absence de lieux d'accueil pour adolescents psychotiques, la prison est l'ultime recours, voire le seul lieu de soins. Le concept d'une Maison pour Adolescents est encouragé.

– *Développer des structures spécifiques pour les jeunes « décalés de la citoyenneté ».* Proposer aux jeunes réfractaires à l'enseignement classique des structures appropriées, dès l'âge de 14 ans, et offrir une formation en fonction de leurs aptitudes.

Initiées en 1998, les classes relais sont actuellement 300 et devraient passer à 400 dont au moins une par département en 2003. D'ici 2005, leur capacité devrait doubler. Elles accueillent actuellement quelque 1 500 jeunes violents et en difficulté scolaire pour une durée moyenne de deux à six mois et obtiennent une certaine réussite : 85 % des jeunes améliorent leur comportement et 49 % leurs résultats scolaires.

50 ateliers relais sont prévus pour la fin de l'année scolaire 2002-2003 et 100 en 2004. Ce dispositif, installé à l'extérieur de l'établissement est géré en partenariat avec des associations.

III. – **Parentalité, violence et éducation**

– *L'autorité paternelle à revaloriser.* Les sociologues ont constaté que l'aide des tout jeunes pères ne dépassait celle de leur père ou grand-père que de six minutes par jour... Les rôles ont évolué et les tâches sont mieux réparties aujourd'hui ; pourtant des hommes hésitent encore à s'investir dans le fonctionnement du foyer et les femmes sont réticentes à abandonner une part de pouvoir que l'exécution des tâches familiales ou domestiques leur confère.

– *Des pistes pour un nouveau contrat familial. Établir un Code parental pour l'an 2000.* Il existe une relation étroite entre la désagrégation du lien parental et celle du lien social. La société attend beaucoup des parents et la demande d'un référent adulte est forte. Il convient de refaire de la famille le lieu d'apprentissage de la vie sociale. L'école doit impliquer les parents dans ses cours d'éducation à la citoyenneté et, si possible, les faire participer parallèlement aux travaux des enfants sur ce thème.

Il est nécessaire d'exploiter les découvertes de la psychanalyse en définissant le contenu des missions que les parents doivent assumer après la naissance de leur enfant (discipline, autonomie, comportements en société...).

La psychologue Alice Holleaux, présidente de la fédération des écoles de parents, estime que, pour grandir, l'enfant a besoin de règles et de limites à transgresser et qu'il ne se construit pas sur du sable mouvant. De nombreuses familles, sans référence, essaient de fuir les conflits et cachent leur incapacité à gérer les situations.

Le père doit apporter son soutien à l'enfant en lui proposant des instants différents de ceux de la mère : il a un rôle d'initiateur social. Mais il est nécessaire qu'il ne fasse pas l'objet de rejet des institutions et que son utilité sociale soit perçue par l'enfant.

Nous proposions précédemment (« Que sais-je ? », 1999), d'établir un *Code parental pour l'an 2000* en créant une mission de réflexion chargée de cerner les différentes composantes de la paternité, de la maternité, de la filiation et de définir d'un point de vue juridique la responsabilité des beaux-parents et grands-parents vis-à-vis des enfants.

La loi du 4 mars 2002 généralise l'exercice en commun de l'autorité parentale, que l'enfant soit légitime ou naturel. En cas de séparation des parents, ses modalités d'exercice sont unifiées par la suppression de toute référence à un divorce. Une responsabilité de plein droit est reconnue aux parents sur le fondement de l'article 1384, alinéa 4 : « Le père et la mère, en tant qu'ils exercent le droit de garde, sont solidairement responsables du dommage causé par leurs enfants mineurs habitant avec eux. »

L'autorité parentale est un ensemble de droits et de devoirs ayant pour finalité l'intérêt de l'enfant.

L'enfant est associé aux décisions qui le concernent, selon son âge et son degré de maturité (Code civil, art. 371-1).

C'est la Révolution française qui, en contestant le pouvoir absolu, a ébranlé le droit paternel. L'exercice du pouvoir du père dans sa famille était en effet calqué sur le rapport du roi à ses sujets : la toute-puissance. En 1889, l'État s'est infiltré dans la gestion de la vie familiale en instaurant la possibilité de prononcer la déchéance paternelle pour mauvais traitements. En 1970, un nouveau pas a été franchi dans la limitation du pouvoir du père avec la reconnaissance juridique de l'égalité des deux parents. Enfin, en 1989, après un long combat, les droits de l'enfant ont été officiellement reconnus. En deux siècles, le père a donc cessé d'être le seul maître. On est passé de la parenté, lien naturel, à la parentalité, qui introduit valeurs et compétences.

La parentalité peut se définir par trois axes : l'exercice, l'expérience et la pratique. Les fondements de la parentalité mettent en évidence des exigences et des compétences importantes qu'il est parfois très difficile de mettre en œuvre pour des parents, notamment dans des milieux défavorisés.

– *Le nouveau rôle des pères.* « Quel que soit le modèle de la famille, en situation de précarité ou non, unie, divorcée ou recomposée, les enfants ont les mêmes droits et deux parents coresponsables de leur éducation. » Ainsi une série de dispositions structurées autour de la notion de coparentalité a été envisagée dès le printemps 2001 par Ségolène Royal (ministre déléguée à la Famille et à l'Enfance).

Les pères divorcés sont appelés à sortir de leur

marginalité, voulue ou imposée, grâce à la résidence alternée. La création d'un « livret de paternité » rappelle au père les droits et devoirs juridiques, sociaux et pédagogiques et l'instauration d'un congé de paternité achève cette disposition. La définition de l'autorité parentale, qui contient les notions de transmission de valeurs, de limites et de responsabilités, fera l'objet d'une nouvelle rédaction dans le Code Civil, afin que les familles éclatées soient recomposées : le nouveau rôle des pères et leur maternisation ont entraîné des confusions, des malentendus. L'incertitude des rôles, le rejet des modèles du passé, l'inquiétude de l'avenir expliquent les heurts parentaux. L'enfant prévaut dans la dynamique familiale, il prime sur le couple. Il faut donc redonner aux parents la première place sans les culpabiliser et restaurer leur autorité autant que leur différence et leur complémentarité. Selon Ginette Lespine, psychothérapeute de couple : « L'harmonie est illusoire. Il faut accepter la différence de l'autre, savoir dire que l'on n'est pas d'accord. »

La parentalité s'accompagne d'ambitions, de répétitions, de renoncement. Didier Pleux ou Jacques Arènes répètent leur attachement à un usage raisonné et annoncé de la sanction. Brigitte Cadéac de l'École des parents estime « qu'un parent solide, c'est celui auquel on peut s'opposer ».

Les enfants-tyrans ont tendance à reproduire leurs comportements à l'école. Confrontés aux difficultés d'intégration liée aux contraintes scolaires et aux règles de base de la vie en groupe, les professeurs des écoles tentent d'imposer des limites mais ne peuvent se substituer aux parents Le rapport de la Commission d'enquête du Sénat sur la délinquance des mineurs (27 juin 2002) reconnaît à la famille une influence déterminante. Parmi les obstacles à l'épanouissement des familles, il y a la précarité économique et sociale. Négligences parentales, conflits au sein des familles, comportements déviants contribuent à l'incapacité d'assurer aux enfants un cadre épanouissant.

– *Relations entre les parents et l'école.* Le ministère de l'Éducation nationale insiste sur le rôle de la famille. Dans le *BO* n° 34 du 17 septembre 1998, la note de service n° 98-186 présente la « semaine des parents » qui s'inscrit dans le cadre du partenariat école - famille afin de favoriser l'information, la concertation, la réflexion sur le rôle des parents à l'école. Le but de cette semaine est de permettre, dès le début de l'année scolaire (octobre), aux parents de prendre contact avec l'établissement et ses personnels. Il est prévu d'organiser une campagne nationale d'information afin de sensibiliser les parents sur leur rôle au sein de l'établissement. Les initiatives sont nombreuses et les efforts réels mais les chefs d'établissement déplorent les effets d'annonce. Améliorer les relations entre enseignants et parents d'élèves, est un travail de longue haleine. Le Baromètre Santé Jeunes montre que les enfants issus de familles monoparentales sont sujets à des comportements à risque. « L'enfant va d'autant moins bien qu'il est en tension au sein de sa famille » (Dr Pommereau, psychiatre au CHU de Bordeaux). Le Pr Philippe Jeammet, directeur de l'unité adolescents de l'Institut mutualiste Montsouris (Paris XIVe) déclare : « Il faut pouvoir redonner une sécurité affective à l'enfant même dans une situation atypique ; aider l'enfant implique souvent d'aider aussi l'adulte. »

Un sondage de l'IFOP pour le ministère de l'Éducation nationale (septembre 1998) met en évidence le rôle central de l'enseignant en tant que relais entre les parents et l'école. Les parents d'élèves, en maternelle, rencontrent souvent l'enseignant (68 %) ; la fréquence des contacts régresse au fur et à mesure de la progression scolaire : en primaire, 33 % ; au collège, 17 % et au lycée, 9 %. Il existe des attentes d'amélioration de la relation avec l'institution scolaire ; il y a inadéquation entre le temps de l'école et le temps de la vie active, les parents considérant que les heures de réunions sont peu pratiques (66 % pour le collège, 61 % pour le lycée). Les rapports avec les enseignants sont confiants mais la position de faiblesse des parents (55 %) et leur malaise (52 %) sont perçus clairement.

Les niveaux d'implication des parents diminuent donc avec l'avancement de la scolarité. La lutte contre la violence dans les établissements est un sujet d'implication fort (28 % à l'école, 32 % au collège). La lutte contre la drogue (19 %) mobilise beaucoup.

Le ministère de l'Éducation nationale tente de favoriser les relations entre les parents et l'école par un catalogue de mesures :

- les Comités locaux d'éducation (lieux de concertation sur les décisions de rentrée scolaire, le fonctionnement des services de l'Éducation nationale, l'utilisation des moyens budgétaires) ;
- puis le Comité d'éducation à la santé et à la citoyenneté (par la circulaire du 1er juillet 1998 ; il remplace le Comité d'environnement social et traite de la prévention des conduites à risques) ;

- l'amélioration des procédures d'orientation ; nous avons souligné l'importance de ce domaine, imposant un dialogue entre l'élève et sa famille ;
- les Contrats éducatifs locaux : la circulaire du 9 juillet 1998 prévoit de mobiliser les partenaires pour l'aménagement des temps et activités de l'enfant ;
- les Contrats de réussite dans les ZEP et dans les REP ;
- la « semaine des parents » à l'école, critiquée pour sa médiatisation ;
- la « semaine des initiatives citoyennes » doit sensibiliser les élèves aux enjeux de société ;
- les rencontres avec le représentant des parents d'élèves.

Philippe Meirieu s'adresse aux parents en mal de définition des limites de leur rôle d'éducateur, en leur précisant qu'ils sont « des profs d'intelligence » ; les actes de la vie quotidienne (repas, télévision, fêtes, voyages...) sont pour eux des opportunités pour apprendre aux enfants à utiliser leur intelligence, l'acquisition du savoir relevant surtout de l'institution scolaire.

Pour Xavier Darcos, il s'agit de replacer l'école dans sa mission, celle d'instruire. L'enfant n'est plus « au centre du système », mais le savoir.

Afin de refonder le consensus autour des valeurs de l'école républicaine, le ministre souhaite un débat parlementaire et national (2003).

CONCLUSION

L'invocation de la fatalité et de l'impuissance voulait susciter une prise de conscience de l'importance des violences scolaires dans le quotidien familial, éducatif et politique. Nos observations et réflexions depuis le précédent ouvrage se sont amplifiées, ainsi que les réponses et les engagements.

Nous sommes confrontés au mal-être de jeunes victimes et agresseurs n'ayant pu intégrer repères et limites. Le déficit d'éducation est lié à la perte de crédibilité des adultes et la souffrance est matérialisée par un langage émotif souvent d'une grande pauvreté.

Le sociologue nous propose d'élaborer une stratégie après identification des causes, des facteurs de risque, en développant des programmes d'action qui seront l'objet d'évaluation. Le chercheur nous rappelle la nécessité d'une taxinomie internationale, de qualifier les données nationales, de développer le corporatisme international, de croiser les différents champs théoriques...

Nous ne souhaitons pas allonger une liste de recommandations quantitatives mais regrouper des nécessités. Le balancier répression-prévention fonctionne dans de nombreuses initiatives locales dont l'évaluation et la transférabilité seraient à démontrer. Cette approche a ses limites. Il nous faut trouver une autre dimension.

L'écoute des jeunes, des parents, des enseignants favorise leur expression, limite les angoisses, permet la libération des souffrances. Savoir interdire relève de l'action ; l'éducation à la citoyenneté s'exerce dans le rappel à la loi. La sanction est à développer dans sa dimension éducative ; elle est porteuse de responsabilité par son contenu positif. Elle participe à la gestion de l'agressivité et s'inscrit dans le respect de l'individu.

Il y a lieu de déclarer une mobilisation générale contre la souffrance en milieu scolaire. La médicalisation des violences, la prise en charge psychosociale sont utiles mais insuffisantes. Les réponses sont évidemment multifactorielles. La décentralisation devrait permettre un nouveau cadre de vie à une « école en panne » en proposant un nouveau type de gouvernance.

L'autorité doit s'imposer dans le processus éducatif afin de lutter contre la violence. L'école n'est plus construite sur des valeurs et des principes suffisamment solides. L'appréhension laïque du phénomène religieux et la proposition de l'enseignement du fait religieux sont une ouverture à plus de liberté.

La justice scolaire doit se préoccuper des victimes qui sont des individus en construction. Le partenariat de proximité ne peut avoir comme seul objectif la paix sociale au prix d'humiliations génératrices d'échec et de violence.

La fatalité et l'impuissance ne sont pas des valeurs refuges. La lutte contre les inégalités ne peut être l'unique objectif sans cesse reporté. Le rôle des phénomènes extérieurs à l'École n'est pas une porte de sortie pour nos insuffisances. Il est nécessaire d'abandonner des fantasmes liés à la peur en créant la confiance.

À la question : « Que peut-on faire ? », le chercheur répondra par le partenariat dans les programmes de prévention et l'étude des phénomènes extérieurs à l'école ; par la responsabilisation de la communauté locale et des médias locaux et régionaux ; par la réaction rapide et le soutien aux victimes ; par le recours à la médiation.

Le défi face aux violences relève de l'engagement et de la lutte. Est-il inconvenant de rappeler la *tranquillitas ordinis* (Saint Augustin, *La Cité de Dieu,* 19, 13) ?

L'École, lieu éducatif fondateur, doit être un espace de paix indispensable à la transmission des savoirs et au développement. Lutter contre les violences, c'est s'attaquer à la pauvreté sous toutes ses formes, à l'injustice et à la misère, mais aussi soutenir la mission éducative des adultes, sans quoi, les jeunes sont laissés à eux-mêmes et aux troubles du comportement.

L'enfant au centre du système éducatif ou plutôt les savoirs et leur transmission feront sans doute débat et ouvriront d'autres horizons. La Loi peut-elle imposer les valeurs civiques et morales ? Elle peut proposer un cadre et la règle commune.

La décentralisation suscite des peurs car elle n'est pas inscrite actuellement dans la légitimité démocratique (chère à François Dubet). Peut-on envisager un nouvel ordre scolaire fondé sur des valeurs, telles que le respect, la justice, la légitimité ?

L'enseignement des vertus devra prendre le risque de rendre nos enfants plus humains.

BIBLIOGRAPHIE

1 / HISTORIQUE DE LA VIOLENCE
ET ÉVOLUTION DU SYSTÈME SCOLAIRE

R. Muchembled, *Culture et société en France du début du XVIe au milieu du XVIIe siècle,* Paris, Sedes, 1995.

A. Prost, *Une histoire de l'enseignement de 1945 à nos jours. Éducation, société et politique,* Paris, Le Seuil, « Points », 1997.

A. Prost, *Histoire de l'enseignement en France,* Paris, Armand Collin, coll. « U », 1968.

J.-C. Chenais, *Histoire de la violence,* Paris, Hachette, 1981.

J.-C. Caron, *À l'école de la violence. Châtiments et sévices dans l'institution scolaire au XIXe siècle,* Paris, Aubier, 1999.

2 / L'ÉCOLE ET LA SOCIÉTÉ

Robert Ballion, *Le lycée, une cité à construire,* Questions d'éducation, Paris, La Documentation française, 1995.

Alain Bentolila, *De l'illettrisme en général et de l'école en particulier,* Paris, Plon, 1996.

Jacques Delors, *L'Éducation : un trésor est caché dedans,* Rapport l'Unesco, Paris, Odile Jacob, 1996.

François Dubet, *Les lycéens,* Paris, Le Seuil, « Points », 1996.

Roger Fauroux, *Pour l'École,* Paris, Calmann-Lévy, « La Documentation française », 1996.

3 / LA VIOLENCE

Francis Boilleau, *Les jeunes face à la justice pénale, analyse critique de l'application de l'ordonnance de 1945,* Alternatives sociales, Paris, Syros, 1996.

Philippe Chaillou, *Violence des Jeunes. L'autorité parentale en question sur le champ,* Paris, Gallimard.

C. Rojzmann, *Savoir-vivre ensemble. Agir autrement contre le racisme et la violence,* Paris, Syros, 1998.

François Dubet, *Violence à l'école et violence scolaire,* Revue Cosmopolite, n° 2, octobre 2002.

Judith Lazar, *La violence des jeunes : comment fabrique-t-on des délinquants ?,* Flammarion, 2002.

4 / LA VIOLENCE EN MILIEU SCOLAIRE

Éric Debarbieux, *La violence en milieu scolaire,* Paris, ESF, 1996, t. II : *Le désordre des choses,* 2002.

Bernard Charlot et Jean-Claude Emin, *Violences à l'école : état des savoirs,* Paris, Armand Colin, 1997.

Pourvu qu'ils m'écoutent, Champ pédagogique, CRDP Académie de Créteil, collection dirigée par Annick Davisse

Éric Debarbieux, Alix Garnier, Yves Montoya, Laurence Tichit, *La violence en milieu scolaire : perspectives comparatives portant sur 86 établissements,* Rapport de recherche, février 1996.

G. Fotinos, *La violence à l'école, état de la situation en 1994, analyses et recensement* (MEN/IGEN), 1995.

Dʳ J. Mario Horenstein, Dʳ M. Christine Voyron-Lemaire (Institut des Hautes Études de la sécurité intérieure), *Les enseignants victimes de la violence,* Convention de recherche, ministère de l'Éducation nationale, décembre 1996.

Macé, Wiewiorka, Dubet, Sibony, Guénif-Souilamos, G. Despret et Porcher, Rebelle, Sémelin, Boullier, Bégaudeau, *Cette violence qui nous tient,* Cosmopolitiques, Paris, L'Aube

5 / L'ÉDUCATION CIVIQUE, LA CITOYENNETÉ

É. Balibar, *Droit de cité, culture et politique en démocratie,* Paris, L'Aube, 1998.

Jean Cazeneuve, *L'avenir de la morale,* Paris, Éd. du Rocher, 1998.

Jean Piaget, *L'éducation morale à l'école. De l'éducation du citoyen à l'éducation internationale,* Paris, Anthropos, septembre 1997.

G. Lipovesky, *La société en quête de valeurs,* coll. « Institut du Management ».

TABLE DES MATIÈRES